DUILIO CASTELLI

LA FEDELE MEMORIA

RACCONTI E TESTIMONIANZE DEGLI ITALIANI NEL MONDO

a cura di
LUCIANO SEGAFREDDO

*Con un saggio introduttivo
sulla letteratura di emigrazione di*
ALBERTO FRASSON

EDIZIONI MESSAGGERO PADOVA

*Questo libro è dedicato
ai collaboratori del
«Messaggero di sant'Antonio»
nei cinque continenti.
Il loro aiuto è prezioso
per fare il giornale
e per mantenere un rapporto vivo
con i connazionali all'estero.*

 Questa pubblicazione è stata
realizzata con il contributo
del Banco Ambrosiano Veneto.

ISBN 88-250-0418-4

Copyright © 1994 by P.P.F.M.C.
MESSAGGERO DI S. ANTONIO – EDITRICE
Basilica del Santo - Via Orto Botanico, 11 - 35123 Padova

PREFAZIONE

Se dovessi riassumere la mia ricca esperienza di rapporto e di incontri con gli italiani all'estero, dovrei sottolineare innanzitutto la fedele memoria, quasi scolpita nella loro vita, che continua a tenerli uniti alla terra di origine nonostante il trascorrere implacabile degli anni.

Fedele memoria del patrimonio di valori, di cultura e di tradizioni legato alle loro radici, vissuto come caratteristica irrinunciabile della loro identità più vera.

Fedele memoria della loro epopea migratoria, carica di speranza ma gravata da prove, che gli emigrati hanno trasmesso ai figli e ai nipoti, rispettando la loro integrazione sociale e culturale nella patria d'adozione, sempre più plurietnica e talvolta anche multiculturale.

Fedele memoria, che è divenuta un patrimonio di esperienze di vita. Le loro autobiografie, le raccolte di poesie e di racconti d'emigrazione sono oggi parte integrante della nostra storia e della nostra cultura. Un patrimonio letterario, che anche il «Messaggero di sant'Antonio» intende promuovere e valorizzare.

Dopo la pubblicazione di Italiani sulle vie del mondo - Personaggi e storie di emigrazione *(Edizioni Messaggero Padova, 1993) non pensavo di realizzare questo nuovo libro. Nel giugno dello scorso anno, però, fui invitato in Australia dalla comunità italiana di Payneham*

5

ed ebbi la possibilità di conoscere famiglie e associazioni del Sud e del Western Australia. È stata un'esperienza che mi ha arricchito di umanità e di conoscenze, riconfermando i valori e il messaggio, che l'«altra Italia» può ancora oggi trasmettere a «questa Italia». Dai contatti avuti con le singole persone e con le associazioni, ho raccolto molte storie e molte esperienze di emigrazione. Ho creduto opportuno trasmetterle in questo libro, organicamente unite ad altri racconti inviatimi in questi ultimi anni da alcuni collaboratori della mia rivista.

Durante la permanenza in Australia ho conosciuto, ad Adelaide e a Perth, uno stile di accoglienza e di ospitalità mai conosciuto prima. Un gruppo di italiani di Payneham mi offrì la possibilità di partecipare, come loro ospite, a un viaggio in pullman alla scoperta della Central Australia. È stata un'occasione unica per visitare, tra l'altro, il famoso centro minerario di Roxby Downs; per scoprire Coober Pedy, il centro minerario in gran parte sotterraneo, che dai primi decenni del secolo ha richiamato tanti pionieri anche italiani alla ricerca dell'opale; per salire sull'Ayers Rock, per ammirare il Mount Olgas, le West MacDonnell Ranges, affascinanti bellezze del Northern Territory. Ma lo stupore più grande è stato quando, entrati nella cappella delle Suore francescane di Alice Springs per celebrare la messa, c'erano ad attenderci un gruppo di italiani, emigrati da quarantacinque e più anni, con i tavoli già ripieni di doni. «Padre, come si fa ad arrivare fin qui, e non avvisarci?», mi disse subito una signora con tono amichevole, ma con velato rimprovero.

È stato un momento di crisi, per modo di dire. Mi venne spontaneo chiedere a mia volta: «Ma come avete saputo che venivamo?». La risposta fu quanto mai semplice. Uno dei primi lavori che i pionieri intrapresero in

Australia, oltre la Stuart Highway che unisce Adelaide a Darwin, fu l'installazione della linea telefonica: un'impresa epica, documentata esaurientemente nel museo della «Telegraph Station» di Alice Springs.

Aveva telefonato da Adelaide un ex minatore di mica e d'opale, Gino Basso, di cui pubblichiamo nel libro una forte testimonianza. La serata passò in festosa compagnia e con profonda commozione da parte di tutti. Il giorno dopo ritornarono tutti all'appuntamento nella bellissima chiesa cattolica della cittadina e, come dono offertoriale, mi portarono della mica e alcuni sassi opalescenti: segno e memoria del duro lavoro di tanti pionieri italiani nel cuore del Red Centre d'Australia.

La fedele memoria dell'epopea migratoria deve esprimersi innanzitutto attraverso un rapporto vivo e costante con coloro che ne sono i protagonisti. E più essi sono lontani dalla terra d'origine, più il rapporto è necessario, più deve essere intenso a livello umano, sociale e culturale. Ecco l'insegnamento che gli italiani di Alice Springs mi hanno trasmesso. Un insegnamento e forse una lezione di fedeltà rivolti a quanti, responsabili politici e singoli cittadini, hanno dimenticato ciò che significa abbandonare la propria casa e la propria patria, per cercare sicurezza e futuro in un'altra terra. Magari agli antipodi, quale è appunto l'Australia.

Una fedele memoria, che trova eloquente espressione nella copiosa letteratura fiorita in molti paesi di emigrazione, e meritevole di essere conosciuta e apprezzata anche in Italia. A tale scopo ho chiesto al mio amico e collaboratore Alberto Frasson, critico letterario di lunga milizia, di premettere alle testimonianze un saggio su questa letteratura. Riteniamo infatti che possa fornire un'ulteriore documentazione di quanto sia vasta e corale, nei nostri connazionali emigrati, la volontà di rimanere attaccati alle proprie radici, di conservare le tradizioni della propria terra, di celebrare l'Italia come unica patria del cuore. La «memoria fedele» diventa quindi anche «memoria felice» poiché, nonostante le tante prove, nonostante le tante dimenticanze e nonostante i tanti torti subiti da questa patria spesso infedele, il suo ricordo è capace di sollevare le pene dell'esilio e la solitudine della lontananza.

Fra le varie richieste, che da tanti anni le nostre comunità all'estero rivolgono all'Italia quale parziale e inadeguato compenso ai tanti meriti acquisiti, oggi occorre aggiungerne un'altra: quella di valorizzare le espressioni letterarie fiorite nel loro seno. Sono numerosissime, fortemente significative e spesso di notevole valore artistico. La loro conoscenza, se e quando potrà essere resa possibile in misura esauriente, non solo potrà trasmetterci l'esperienza umana e morale della straordinaria epopea, ma potrà anche arricchire il nostro patrimonio letterario.

LUCIANO SEGAFREDDO

LETTERATURA IN EMIGRAZIONE
APPUNTI INTRODUTTIVI

La lunga frequentazione con il mondo dell'emigrazione e soprattutto con gli scritti che ne derivano: lettere, servizi giornalistici, resoconti autobiografici, libri copiosi e fortemente vissuti, ci hanno convinti che si possa parlare di una letteratura dell'emigrazione. Una letteratura che ha caratteri comuni, come ha comune il retroterra storico e culturale; ma che è anche soggetta ad alcuni interrogativi di fondo, che costituiscono una pesante pregiudiziale al suo studio comparato.

Innanzitutto, come si dovrà comportare lo storico futuro, che volesse realizzare questo studio, di fronte a scrittori quali Beniamino Joppolo, Giuseppe Prezzolini, Ignazio Silone, Saverio Strati, Giuseppe Ungaretti, che vissero a lungo e scrissero all'estero, ma fanno parte della letteratura ufficiale italiana: potrà inserirli nella sua storia oppure dovrà tralasciarli, confermando l'ipotesi che la letteratura italiana è solo una e in essa debbono essere inseriti tutti gli autori che scrivono in italiano, indipendentemente dal paese in cui vivono? È una ipotesi legittima, però anche assai selettiva, che porterebbe a cancellare, per mancanza di titoli, numerosi autori di imprescindibile valore testimoniale per la storia che si vuole costruire.

Un secondo interrogativo riguarda la lingua. Se il titolo dell'ipotesi è: «letteratura italiana in emigrazione», come ci si dovrà comportare di fronte agli autori che scrivono

9

nella lingua del paese in cui vivono? Possono essere accolti o debbono essere esclusi? Può sembrare ovvia la seconda via, ma non è così, poiché l'origine e la cultura ereditate dai genitori costituiscono un patrimonio che caratterizza la produzione letteraria. Non quanto la lingua, ma certamente non in misura tanto irrilevante da essere trascurata.

Le presenti note si prefiggono il modesto intento di ribadire una problematica già formulata in varie sedi, ma comunque irrisolta, se ancora non si è circoscritto il campo delle operazioni. E soprattutto se ancora non è chiaro come debbano essere valutate le opere di modesto valore letterario, ma di grandissimo valore umano, che a nostro avviso costituiscono il nerbo testimoniale della letteratura di emigrazione. Dobbiamo espungerle, come quelle in altra lingua, oppure dobbiamo considerarle espressioni di una «letteratura delle classi subalterne» o naïve, che in passato ha goduto di particolari attenzioni soprattutto per ragioni politiche? Questa seconda ipotesi ci appare più che mai inapplicabile. Per provarlo, ci limitiamo alla citazione di una pagina immediatamente eloquente: «Oggi in questo brutto mondo si troviamo in un fenomeno molto gravissimo in primo caso o barbari o delinquenti nati avete fato schomparire tutti gli uccello di tutte razze chi fin da mìlle e mìlle anni fa esistevavano ederano poi le nostre meraviglie di tutti i tempi sechondo caso avete manipolato ghuerre in tutti i chontinenti del mondo terzo caso avete meso in chrizi tutta la nostra terra choltivabile» (Pietro Ghizzardi: *A lilla, quatro pietre in mortalate*, All'insegna del pesce d'oro, 1980). Non è certo il caso di fare confronti.

Ma gli interrogativi non sono finiti. Stiamo parlando sempre nell'ambito della definizione. Se è opinabile il concetto di «letteratura», è opinabile anche quello di emigrazione. In linea di massima, è emigrato colui che ha lasciato la sua patria per cercare lavoro altrove, trasferendosi più o meno stabilmente all'estero. Ma si possono considerare emigrati anche i dipendenti delle ambasciate, le migliaia di persone che lavorano nelle istituzioni comunitarie europee e quant'altri risiedono all'estero con incarichi culturali, politici o amministrativi? Anche fra queste persone molti scrivono in versi o in prosa. Il concetto di emigrazione assume poi un diverso significato di generazione in generazione. Fra la prima protagonista dell'emigrazione, la seconda emigrata negli anni dell'infanzia o nata all'estero e la terza, generalmente esistono profonde differenze. Fino a quando è lecito far valere l'identità dell'origine?

E ancora un ultimo dilemma. Quale rilevanza possiamo dare agli autori dialettali, quando anche in Italia la letteratura dialettale si sta estinguendo o comunque ha visto ridursi sempre più la sua ridotta ufficialità? Sono interrogativi, che possono condurci a formulare una nostra ipotesi di «letteratura italiana in emigrazione». La seguente: in essa dovremmo comprendere le opere scritte in lingua italiana, escludendo nella prima fase di bilancio quelle scritte in dialetto o in altra lingua; dovremmo inoltre considerare criteri di valutazione diversi da quelli usati per la letteratura italiana: facendone quindi un'altra «letteratura italiana» nella stessa maniera convenzionale con cui si parla di un'«altra Italia»; ma soprattutto dovremmo valorizzare il significato storico e testimoniale, senza creare categorie «subalterne».

All'estero non c'è tempo per scrivere: all'estero si deve lavorare. Perciò lo scrivere è sacrificio, fatica, ma è anche necessità di espressione, di sfogo, come succede ed è successo per la maggior parte delle grandi opere. Il prodotto può essere carente sotto l'aspetto tecnico o linguistico; però può essere prezioso per la lezione di umanità che trasmette e per la tradizione spontanea e necessaria dei sentimenti, dell'esperienza esistenziale, di una visione del mondo e degli uomini spesso originale.

Ma perché si pubblica in emigrazione, se poi il prodotto non ha mercato, non ha diffusione, non ha promozione alcuna, tanto che raramente arriva sui tavoli degli addetti ai lavori? Si pubblica per la stessa ragione per cui si pubblica in Italia, anche quando l'opera non sia accolta dall'editore e l'autore debba procedere a proprie spese, come fanno la maggior parte degli scrittori emigrati: per il piacere di vedere realizzato il proprio lavoro, per la soddisfazione di donarlo agli amici, per il desiderio di essere conosciuti almeno nella ristretta cerchia della comunità in mezzo alla quale si vive. Ma si pubblica anche per un'altra ragione. Lo dichiara Antonio Bonato, emigrato a Farcienne in Belgio, in prefazione al volumetto *Memorie di un minatore*, stampato a sue spese nel 1989: «Benché i figli mi avessero sconsigliato perché loro sapevano già tutte queste cose, ho voluto pubblicare questo libro perché sapessero anche i nipoti».

Paese che vai, letteratura che trovi. Ma a fare un quadro appena sufficiente è impossibile per due ragioni: l'esiguità dello spazio e la mancanza di documentazione. Ci limitiamo quindi a fare alcune considerazioni di carattere generale e altre di carattere particolare, con riferimento ai paesi nei quali la «letteratura italiana di emigrazione» si è maggiormente sviluppata e continua a produrre frutti.

Una prima considerazione ci induce a constatare che nei paesi di più antica emigrazione: vale a dire Brasile, Argentina e Stati Uniti, lo sviluppo è molto modesto. E la ragione è abbastanza ovvia. La grande emigrazione che investì i tre paesi successivamente all'unificazione dell'Italia, a partire da un anno convenzionalmente fissato nel 1875, era composta di braccianti agricoli, di operai, di artigiani. E anche se in mezzo a loro ci fu qualche fuoruscito per motivi politici o qualche intellettuale eccentrico, il loro numero non elevò certamente il livello culturale della massa.

In quegli anni l'analfabetismo in Italia raggiungeva un livello medio dell'80 per cento e in alcune regioni, coincidenti con quelle dalle quali partì la stragrande maggioranza degli emigrati, tale livello era superato largamente. Le condizioni di vita che trovarono poi nei nuovi paesi non erano tali da consentire progetti letterari; e se pure è verosimile che molti desiderassero affidare alla parola scritta i propri sentimenti e le proprie esperienze, ne erano impediti dalla incapacità di scrivere.

Le seconde generazioni dimenticarono rapidamente, incentivate nell'America latina da una agevole integrazione; e quelle successive proseguirono sulla via, quantunque fosse conservato un buon ricordo della terra di origine. Il recupero culturale fu assai tardivo, affidato alla più recente generazione, che ne ha ricevuto stimolo da una rinnovata ammirazione per l'Italia, assurta negli ultimi decenni al ruolo di grande potenza economica mondiale.

BRASILE. Fu così che in Brasile, dopo un primo periodo limitato ai primi decenni del secolo, nel quale ci fu una certa produzione di opere in italiano: soprattutto nel campo poetico e in quello teatrale, si verificò un quasi generale abbandono. I discendenti degli italiani, giunti per lo meno alla quarta generazione, usano la lingua portoghese, riducendo l'uso dell'italiano all'ambito familiare, in cui si parlava dialetto. Soprattutto quello veneto.

La confusione fra lingua e dialetto condurrà alla compilazione di una grammatica e di un dizionario veneto sudriogradense, allo scopo di conferire al dialetto la dignità di lingua. Detta comunemente «talian», questa «lingua» innestava sul dialetto veneto una serie di prestiti, derivati dai numerosi altri dialetti della penisola presenti in Brasile, ma anche dalla lingua portoghese.

La conseguenza è vistosa. In uno dei paesi di più antica e massiccia emigrazione italiana, la letteratura italiana si riduce a un manipolo di opere dialettali, delle quali ricordiamo le più note: *Vita e storia de Nanetto Pipetta* di Aquiles Bernardi, per esempio, stampata sulla «Staffetta Riogradense» tra il 1924 e il 1952; e *Storia de Nino, fradello de Nanetto Pipetta* dello stesso autore, stampato negli anni Cinquanta sul «Correio Riograndense». Entrambe le opere, con altre analoghe, furono riprese, ristampate e studiate a partire dal 1975, in concomitanza con le celebrazioni per il centenario della colonizzazione italiana.

La tradizione continua ancora attraverso le opere di Darcy Loss Luzzatto: *Chen'avemo fato arquanto* (1975), *Ostregheta semo drio deventar veci* (1981). Della prima citiamo un brano, soprattutto per consentire un raffronto sulla tipologia del dialetto: «Che roba strania: pì vèchiche se deventas, pì fáçile 'l ze ritornar a parlar il veneto. E si, garia de essere giusto al reverso, parché i veci i se desmentega da tutto, véro? Tanti ani passadi sensa dir una solita parola in véneto e, súbito, come par miràcol, se scominçia a ragionar con la lingua materna, quela che gavémo imparà a casa nostra, come se la gavessemo parlada sempre. Credo che la lingua materna no se la desmentega mài. La resta come che indormensada e, al primo colpo, la se svéglia».

ARGENTINA. In Argentina, da un punto di vista storico, si verificarono situazioni analoghe a quelle che abbiamo trovato in Brasile. Una emigrazione antica, assai più influente da un punto di vista sociale, se oggi gli oriundi italiani superano il 50 per cento della popolazione; condizioni assai favorevoli per l'inserimento nell'ambiente; assunzione della lingua spagnola. La lingua italiana, invece, ebbe sorte diversa.

Numerosissimi furono, per esempio, i giornali e le riviste fondati da connazionali emigrati. Nel repertorio de *Gli italiani nella Repubblica Argentina*, stampato a Buenos Aires nel 1898, risultavano ben 250 nomi di giornalisti. Ma questo non significa che ne sia derivata una nutrita letteratura. La prima generazione lasciò un centinaio di volumi di poesia e narrativa: spesso ripresi dal giornale o dalla rivista. Fra i nomi più rilevanti ricordiamo Alberto Castiglioni, nato a Trieste nel 1848, che scrisse poemi, saggi e romanzi; e Folco Testena, nato a Macerata nel 1875 e morto a Buenos Aires nel 1951, che fu fondatore e redattore di vari giornali, pubblicò nove libri di poesia, sette romanzi nonché numerose testi teatrali.

Nella prima metà del secolo si aggiunsero altre voci di qualche rilevanza: quella di Leopoldo de Bracaglia nato a Roma nel 1883, che scrisse poesie e drammi in italiano e in spagnolo; quella di Giuseppe Valentini, direttore del Centro italiano di cultura a Buenos Aires, fondatore di giornali, poeta e saggista; quella di Alfonso Depascale, poeta e critico. Una produzione non copiosa comunque, che denuncia il progressivo esaurimento di motivazioni. *Cui prodest* una «letteratura italiana», che non ha più lettori in Argentina e meno ancora ne ha in Italia?

Fra i contemporanei, ricordiamo i poeti Antonio Aliberti, Leopoldo Di Leo, Francesco Di Palma, Salvatore Caputo, Manrique Zago, nei quali sono presenti le tematiche legate al binomio radici-identità, alla storia familiare e individuale, al mito degli impossibili ritorni, ma tradotte in allegorie esistenziali con un linguaggio fortemente sintetico. Fra i tanti meritevoli citiamo i seguenti versi di Aliberti, intitolati *Sicilia*:

Non usciamo dal nulla,
siamo una condizione dei tempi
Sicilia:
Partenze
Abbandonare il non vissuto
Esilio
L'uomo è un silenzio interrotto
Partenze
Tutto servì perché dopo
fosse
questa paziente avventura di vivere
Esilio
Qui siamo, Signore, da questa parte del mondo
posso continuare a vivere
perché nessuno passi
inutilmente per la mia porta...
ho capito:
Essere in piedi è la consegna
uno è più vicino a Dio
se è in piedi.

(da *Estar en el mundo*, 1980)

Non siamo certo di fronte a una poesia di confessione immediata. Sentimenti e risentimenti e attese vengono filtrati attraverso i progressivi abbandoni delle generazioni, ma sono recuperabili con una decrittazione partecipata. Più che dal linguaggio, anche Zago conferma che la discriminante di una «letteratura italiana di emigrazione» è rappresentata dai contenuti.

STATI UNITI. Riferendosi a quella fiorita negli Stati Uniti, il poeta italoamericano Joseph Tusiani, professore di lingua e letteratura italiana presso il Lehman College e traduttore della *Gerusalemme liberata* nonché autore di numerosi volumi di prosa e di poesia in inglese, scriveva sulla rivista «La parola del popolo» (maggio-giugno 1981) quanto segue: «Più volte, e sempre col candore dell'arcigno toscanaccio che è, Giuseppe Prezzolini strapazzò gli sforzi letterari della colonietta italoamericana, fatta di gente umile e sprovvista di studi: sarti, barbieri, calzolai, muratori, minatori che, spinti da semplice nostalgia più che da complesse velleità di Parnaso, pubblicavano versi (mi riferisco agli anni Cinquanta), che della lingua italiana avevano il desiderio cocente e innocente più che la conquista dotta e incorrotta».

È il giudizio drastico e negativo formulato da un autore assai eclettico ma modestamente creativo quale fu Prezzolini, professore per lunghi anni alla Columbia University di New York; e riferito da un altro professore, legato alle categorie della «poesia» e della «non poesia».

I nostri emigrati trovarono negli Stati Uniti il paese meno ospitale fra quelli in cui cercarono il loro futuro. La prima generazione dovette soprattutto lottare; la seconda volle dimenticare le sofferenze dei padri, rifiutando anche la loro lingua; la terza era già «americana» e quindi assorbita nella cultura del nuovo paese. Forse per questo ne derivò una letteratura modesta nella quantità e nella qualità, tanto da motivare il giudizio sprezzante di Prezzolini, ma non da giustificarlo. Ma forse questa letteratura fu anche facilmente sopraffatta dall'improvviso arrivo, negli anni Settanta, di una ondata di intellettuali, docenti e scrittori, molti dei quali presero dimora più o meno stabile, svolgendo una utilissima opera di mediazione culturale. Soprattutto in favore della nostra cultura e in particolare della nostra letteratura, assai poco conosciuta in Usa rispetto a quanto è conosciuta in Italia la letteratura americana.

Alcuni nomi di questi emigrati di lusso: Umberto Eco, Furio Colombo, Antonio Porta, Nanni Capone, Gianni

16

Vattimo, Paolo Valesio, presenti nelle istituzioni culturali italiane in Usa e produttori in proprio. Valesio, per esempio, pubblicò in Italia nel 1983, presso l'editrice Spirali, un romanzo: *Il regno doloroso*, nel quale viene sottolineata la diversità di questa emigrazione colta rispetto a quella tradizionale e la novità, almeno per l'Italia, di un cosmopolitismo culturale che ha fatto di tutto il mondo un unico paese. Perciò identifica gli scenari della sua esistenza «sulla base dei nomi delle strade, e non più dei nomi delle città, proprio perché gli sembra che le destinazioni siano diventate macroscopiche. Certo, egli dice, via Giulia non è Fifth Avenue, però questo mio personaggio ogni tanto si trova in via Giulia, o giù di lì, o sulla Fifth Avenue, o giù di lì, e non si ricorda, non sa più che cosa sia l'Italia, che cosa siano gli Stati Uniti: sono solo grandi astrazioni».

Tutto l'opposto di quanto pensavano e scrivevano, quando potevano, gli scrittori o pseudoscrittori dei decenni più lontani, per i quali l'Italia anzi il paese avevano una collocazione ben chiara nella geografia del pianeta e del cuore, e l'America non era certo un luogo anonimo: anzi un'astrazione, per lo *spleen* esistenziale.

Facciamo un esempio della letteratura stigmatizzata da Prezzolini: due strofe tratte dalla *Canzone all'italiana*, che fa parte del volume *Poesie del carpentiere Vito Papa* (1976).

> Italia mia quanto sei bella
> Del mondo intero fulgida stella
> Madre virtuosa piena d'amore.
> Forgiasti figli di gran valore.
>
> Tu fosti culla di belle arti
> Lo dicon tutti non per lodarti
> Vero giardino dei candidi fiori
> Spargi profumo conquisti cori.

Stiamo formulando delle semplici considerazioni su un terreno in buona parte vergine. Perciò siamo lontani da qualsiasi intento giudicatorio, almeno fino a che non siano accertati i criteri di valutazione per il tipo di letteratura della quale stiamo parlando. La citazione dei nomi è il momento più difficile, quando si debba realizzare un resoconto sommario. Iniziamo con il nome di Antonio Margariti, perché lo riteniamo esemplare di quel tipo di lettura, che non vorremmo assolutamente esclusa. Nacque nel 1891 in Calabria, non frequentò scuole perché allora era un «lusso», imparò a leggere e a scrivere nei circoli degli emigrati anarchici a New York, dove emigrò poco più che adolescente. A 87 anni scrive il suo unico libro: *America, America*, che costituisce una straordinaria testimonianza, filtrata attraverso gli occhi e i sentimenti di uno sfruttato, di un affamato.

Non sa scrivere, non conosce le regole grammaticali né la punteggiatura, però il suo libro tocca profondamente. Ed è stato fra i pochi segnalati e recensiti con interesse dai critici italiani. Per citarne uno, il linguista Tullio Di Mauro lo definì «eccezionale per veridicità» («L'Unità» del 17 febbraio 1980), evidentemente catturato dalla forza del linguaggio, che ricorda da vicino quello di Pietro Ghizzardi, citato quasi in apertura. Eccone un brano: «Io noscrivo per L'arti O' per Lagloria / scrivo per quello che bolle nel mio cirivello / scrivo e miribello al vecchio mondo / E alla vecchia Storia... il mio scritto parla perse e che non tende avere delle pretese O' valore letterario perché io sono un alletterato il contenuto del mio povero scritto none altro che quello che io ricordo della mia lunga esistenza poco felice».

Accanto ai «professori», che negli Stati Uniti scrivono poesie postmoderne o importanti saggi socioeconomici, sopravvivono i rappresentanti dell'antica emigrazione disperata, che cantano il dolore antico e la propria «subalternità». Espressioni diverse di una medesima letteratura, che deve trovare una sua identità. Alla schiera dei «professori» appartengono Luigi Fontanella, autore di poesia e di narrativa; Joseph Persiani, poeta, traduttore, critico e docente, che scrive in inglese e in italiano; Mario Fratti, anch'egli docente, poeta e narratore, che dichiara di aver tratto grande arricchimento dall'esperienza americana, soprattutto nel campo dei rapporti umani.

Dall'altro versante, cioè quello dei migranti *tout court*, che hanno lottato più con l'emancipazione dal bisogno che con l'emancipazione dalla scelta linguistica, ricordiamo tre nomi: Michele Pane, Giuseppe Gualtieri e Nino Caradonna. Il primo partì da Adami di Decollatura, in provincia di Catanzaro, e giunse negli Stati Uniti all'inizio del secolo. È autore di raccolte poetiche in italiano: *Le poesie* (1987), *Viole e ortiche* (1988); e in dialetto calabrese: *Trilogia*, nelle quali celebra l'epopea della terra natale e lo sradicamento dell'emigrazione, la contrapposizione di due civiltà diverse e la perennità della condizione dei diseredati. Il secondo, Gualtieri, nacque ad Aielli, nella Marsica, ed emigrò nel secondo dopoguerra in Usa dove ha fatto un po' di tutto, secondo le necessità. Perfino il docente, anche se non completò mai gli studi. Unico sollievo alle sue disavventure fu la passione di scrivere: «Quello che ho continuato sempre a fare – si legge in un carteggio che ebbe con Vittoriano Esposito, vicedirettore del Centro di ricerche letterarie abruzzesi de L'Aquila – è scrivere e poetare in lingua e in volgare. In volgare in un secondo, anzi in quest'ultimo tempo». E ne rivela la ragione: «Quando, tornando occasionalmente al mio paese, cercavo di attaccare bottone con i miei compaesani di generazioni più nuove, ho dovuto constatare con tristezza che questa gente veniva travolta dallo stesso fenomeno psicosociale dell'emigrante che ho conosciuto qui. Il quale, dopo e nei traumi della emigrazione avvenuta nel perfetto *ignoramus* del governo mittente e del governo destinatario, finiva per vergognarsi di essere italiano, non rendendosi conto o non sapendo neppure di essere erede di culture e civiltà fantastiche...».

Il terzo, Nino Caradonna, nacque ad Alcamo nel 1898 ed emigrò negli Stati Uniti nel 1921. Trascorse la maggior parte della sua vita a St. Louis, in Massachusetts, dove diresse una tipografia e morì nel 1980. Pubblicò una decina di raccolte poetiche, di cui riportiamo alcuni titoli: *Sogni e faville* (1938), *Grido dell'anima* (1946), *Sussurri del vento* (1975), *All'ombra di un acero* (1978). Alcune sue composizioni appaiono nell'antologia *Poeti italo-americani*, pubblicata a Catanzaro nel 1985 a cura di Ferdinando Alfonsi. È significativo che il criterio usato dal curatore non sia tanto quello della «validità artistica», quanto quello del «valore sociale, storico e umano». Che ci pare il più legittimo, anche se ovviamente non è pensabile che si possa prescindere da una valutazione di carattere estetico.

In prefazione, parlando specificamente del Caradonna ma riferendosi a tutti gli autori come lui, che abbiamo sommariamente definito «emigrati *tout court*», Alfonsi scrive quanto segue: «In lui esiste una dicotomia fra due anime: una legata al passato e alla terra dove è nato, con le sue tradizioni, i suoi costumi che ognuno si porta nel cuore e nella memoria; e una che non riesce ad agganciarsi al presente, non sentito come proprio, e non riesce a mettere radici, con conseguente senso di alienazione e di solitudine».

FRANCIA. Fra i paesi di più antica emigrazione, ma trasferendoci in Europa, la Francia è il paese in cui la produzione è stata meno copiosa. «La letteratura dell'emigrazione, se si eccettua il caso molto particolare di Giuseppe Ungaretti "poeta emigrato" e salvo possibili omissioni – scrive Jean Charles Vegliante, docente di italianistica presso l'università della Sorbonne Nouvelle – ha prodotto in Francia pochissimo. In assoluto, per qualità e quantità di opere propriamente italiane, direi che si tratta di un fenomeno esteticamente e socialmente quasi irrilevante».

Questo non significa che non esistano in Francia scrittori di origine italiana. Significa che, anziché usare la loro lingua o lingua dei loro padri perduta nel corso degli anni, hanno preferito usare la lingua francese. Anche quando avessero a parlare di cose italiane, come fece François Cavanna nel romanzo *Les ritals* (1978), ove viene descritta, con una certa tendenza caricaturale, la vita e i personaggi di una comunità italiana nei quartieri popolari.

La causa prima fu la facilità di inserimento nella società ospite, nonostante non siano mancate le ostilità, specialmente dopo il proditorio attacco dell'Italia, scesa in guerra accanto alla Germania nazista. Ma un ruolo notevole esercitarono anche la maggiore comprensibilità della lingua e la vicinanza con l'Italia. Tutto questo ridusse il senso della lontananza, che suscita rimpianti e nostalgie; e attutì la memoria, aprendo la via a una integrazione che si è realizzata attraverso le generazioni. «Il modello di una integrazione mondiale – scrive ancora Vegliante – con l'ideale e completa naturalizzazione al traguardo, ben diverso dal *melting pot* all'americana, ha prodotto un appiattimento e un'ignoranza del "quasi identico" italiano, diventato presto trasparente a se stesso e agli altri, quindi incapace di alcuna espressione un po' forte».

Un giudizio molto critico, specie per quell'aggettivo «trasparente», che allude più a uno «svuotamento» che a un «inserimento»; ma tuttavia veritiero per quanto concerne i risultati. Noi abbiamo avuto molti scrittori in Francia, alcuni assai stimati in Italia e iscritti d'ufficio alla sua anagrafe letteraria: dal citato Ungaretti ad Annie Vivanti, Antonio Aniante, Filippo Tommaso Marinetti, Diego Valeri; altri per lo meno conosciuti, anche se qualcuno oggi è dimenticato: Lionello Fiumi, Aldo Capasso, Ricciotto Canudo, Franco Simoncini, Mario Simonetti... Ma non possono essere considerati «emigrati tout court»: sono l'equivalente degli italiani «cosmopoliti» che abbiamo trovato negli Stati Uniti, residenti in Francia, quasi esclusivamente a Parigi, ma con gli occhi e la mente in Italia. Se ricordiamo la schiera dei fuoriusciti politici: Giorgio Amendola, Giulio Ceretti, Giuliano Pajetta, Maria Brandon Albini, ancora più evidente appare la differenza fra i due tipi di emigrazione.

Anche gli scrittori dell'emigrazione propriamente detta, cioè provenienti per lo più dal mondo del lavoro, preferiscono esprimersi in lingua francese. Divenuta «trasparente» la memoria italiana, nasce il desiderio della qualificazione, della professionalità. Scrivono in francese Andrea Genovese a Lione, Louis Perin a St. Louis, Nella Nobili a Parigi. In italiano scrive invece Rosa Pedolino; e in dialetto Antonio Santoro.

È naturale quindi, se scrivono francese, che diventino totalmente estranei alla letteratura italiana, e in particolare a quella di cui stiamo parlando. Però ci viene un dubbio sulla legittimità della nostra esclusione pregiudiziale, poiché è possibile che una ricerca sulle opere di Ada Ines Cagnati, Armand Gatti, Jacqueline Dana, possa uscire una rivelatoria visione dell'«altra faccia» di un fenomeno, che probabilmente sopravviverà lungamente a qualsiasi integrazione.

SVIZZERA. Per quanto riguarda la Svizzera, la ricerca sulla letteratura italiana di emigrazione è cominciata da parecchi anni, grazie alle iniziative assunte dalla sezione di italianistica dell'Università di Losanna e ai preziosi contributi di Jean-Jacques Marchand, docente nella stessa università. Ricerca ufficializzata a livello nazionale con un convegno sul tema: «Lingua e letteratura italiana in Svizzera», che ebbe luogo a Losanna nel 1987; e a livello internazionale con il convegno dedicato a «La letteratura dell'emigrazione di lingua italiana nel mondo», che ebbe luogo tre anni dopo nella medesima città con la collaborazione della Fondazione Giovanni Agnelli. Importantissimo frutto ne fu il volume: *La letteratura dell'emigrazione - Gli scrittori di lingua italiana nel mondo*, pubblicato fra le Edizioni della Fondazione Giovanni Agnelli nel 1991 e curato da Jean-Jacques Marchand.

Lo stesso Marchand, nel presentare questa letteratura in territorio elvetico, scrive quanto segue: «È ovvio che il suo *corpus* non sia affatto omogeneo, dato che le opere sono state composte da persone la cui formazione va da un livello situato appena al di sopra dell'alfabetizzazione fino a quello colto di poeti riconosciuti e pubblicati da importanti case editrici come Einaudi, Vallecchi o Garzanti. Gli autori appartengono, grosso modo, a tre categorie. Una è composta da quelli che, per difetto di formazione più che per scelta, scrivono opere all'infuori della tradizione letteraria o culturale; la seconda è composta da quelli che, partendo da un certo retroterra culturale, compongono opere non riferibili alla tradizione colta; la terza comprende quelli che si inseriscono nella tradizione novecentesca e, di solito, vengono riconosciuti dai critici e dagli editori». Una tripartizione utile in campo socioculturale ma solo parzialmente in campo estetico, che ribadisce però la necessità di giungere alla determinazione dei criteri selettivi generali, ripetutamente auspicati nel corso della nostra esposizione.

Marchand va oltre l'impostazione generale del tema: propone infatti una rosa di poeti, che ritiene degni di figurare in una sua antologia, esplicitamente descritta come «un esperimento da laboratorio, destinato a rispondere alla domanda: secondo quali criteri vanno valutate le opere letterarie scritte da emigrati italiani in Svizzera?». Ecco i nomi: Franco Aste, Daniela Severo, Arturo Fornaro, Saro Marretta, Leonardo Zanier, Alida Airaghi, Franco Enna, Silvana Lattmann, Salvatore Smedile, Carlo Stasi. Non ci è consentito presentarli tutti, per ragioni di spazio. Però daremo di alcuni qualche cenno, non tanto per una scelta privilegiata quanto perché si ritengono esemplari le loro esperienze umane e la loro traduzione lirica.

Franco Aste è nato a Isera, in provincia di Trento, nel 1930. Emigrò diciottenne nella Confederazione, dove tuttora risiede. È autore di tre volumi di poesie: *Fame d'amore* (1983), *Dialogo interiore* (1988), *Frammenti di vita* (1991), nei quali ritorna la memoria dei luoghi amati e dell'infanzia, si esprime l'orgoglio profondo della propria esperienza esistenziale, ma soprattutto si rivela la forte tensione religiosa. Eccone un esempio, tratto dal volume *Dialogo interiore*.

Oggi Signore
m'è parso udire il grido
esplosione di gioia
degli Apostoli:
è vivo, è vivo.

Allora come Paolo
ho preso il fuoco
folgorato
dalla luce liberatrice
del tuo Spirito.

E per celebrarti
sulle strade della vita
come lui mi farò
ebreo con gli ebrei
pagano con i pagani.

Perché io so
che Tu hai detto beati
i poveri e i perseguitati
per prenderci tutti come siamo
e farci tua immagine.

Un altro nome della ideale antologia di Marchand è quello di Saro Marretta, nato in Sicilia nel 1940 ed emigrato per insegnare lingua e cultura italiana a Einsiedeln. È autore di opere in versi e in prosa: *Piccoli italiani in Svizzera* (1968), *Allegro svizzero* (1976), *Il paese finiva alla stazione* (1977), *Agli*, (1982), *Sicilia* (1989). La visione è composita, poiché ha studiato in Spagna, in Austria e in Inghilterra. Perciò all'esperienza di fondo, che è quella migratoria, aggiunge varie influenze culturali a livello storico ed esistenziale. Il linguaggio è denso e fortemente allusivo, come appare nella composizione intitolata *Tigri elemosinanti*, tratta da *Agli*.

Stanno ormai per fermarsi
le nostre campane. Le bandiere
che impazziscono fuori dalle pertiche
senza testa né coda
girano a turbine
e i colombi cambiano strada
col becco spalancato.
Il racconto della nonna
col vecchio cattivo che succhiava
il sangue ai bambini buoni
si sta avverando
e dietro alla mia porta
c'è un toro cogli occhi freddi
che m'aspetta.
Vorrei solo che correndo dietro alla luna rossa
dirupasse tutte le vostre case
e vi facesse scappare per strade e paesi
e che tutti quanti
diventaste d'un colpo emigranti.

Altro autore da ricordare è Franco Enna, pseudonimo di Franco Cannarozzo, nato a Enna e morto a Lugano nel 1990. Scrittore di molteplici interessi, si cimentò nel campo del romanzo, del teatro, del giornalismo e della poesia. Raggiunse una notevole notorietà come scrittore di romanzi gialli, tanto da essere definito il «Simenon italiano». La sua produzione poetica comprende tre volumi: *Donne in vetrina*, stampato nel 1944, quando il giovane Cannarozzo viveva ancora a Enna; *Il mare aspetta le mie strade* e *Dove le nuvole fanno ombre di miele*, apparsi entrambi a Lugano rispettivamente nel 1950 e nel 1952; *Carnet d'amore*, pubblicato a Milano nel 1986. La tematica di fondo è tipicamente migratoria. Ed è sintomatico che, dopo qualche tempo di residenza a Lugano, l'autore abbia sostituito il proprio cognome con quello della città natale. Una volontà di identificazione esplicita, che nella poesia trova il veicolo espressivo più immediato ed efficace.

Accanto ai poeti, sia pure in numero minore, operano anche i narratori. Tralasciando due nomi assai noti come quelli di Ignazio Silone e di Saverio Strati, che pure in Svizzera vissero lunghi anni e vi scrissero alcune opere di particolare rilevanza per la loro storia: *Fontamara* (1930) e *Pane e vino* (1932) per quanto concerne il primo; e *Mani vuote* (1960) per quanto concerne il secondo, citiamo fra quanti operano nell'ambito che ci compete. La poesia ha la funzione di esprimere il sentimento individuale; la narrativa ha invece quella di esprimere la passione corale. Entrambe forniscono una documentazione preziosa, però la seconda nasce già e si sviluppa dentro la storia.

Ne abbiamo conferma dai tre romanzi di Attilia Fiorenza Venturini: *Nudi col passaporto* (1969), *Stagionali e rami secchi* (1976), *Gli angeli della dinamite* (1992), nei quali l'invenzione di personaggi e di situazioni poggia su strutture storiche: la migrazione dalle regioni italiane nel secondo dopoguerra, la speranza di trovare l'eldorado al di là del San Gottardo, lo scontro con l'insofferenza xenofoba. Questo filo diretto con la realtà, che costituisce il primo movente dell'attività narrativa, suscita altre motivazioni.

Quella di divulgare la conoscenza di un'esperienza sempre e comunque drammatica, come fa Marco Patruno nel suo *Diario di un emigrante*; oppure quella di protestare contro la patria-matrigna che non si cura dei suoi figli, come fa Saro Marretta nel romanzo *Il paese finiva alla stazione* (1977); o ancora quella di gridare l'orgoglio della propria maturazione esistenziale, come fa Giampiero Montana in *Io sono un cinq* (1961) e *Italia raminga* (1966).

Fra i narratori più recenti citiamo ancora Fabrizio Maria Colonnelli, autore del romanzo *Quando verrete a Zugo* (1986) ed Elio Giancotti, autore di *Nella fossa degli orsi* (1984), che manifestano l'inguaribile nostalgia delle radici sia pure attraverso una critica alla patria di adozione, persistente nella seconda generazione. «Meglio essere pezzente italiano che sazio svizzero» scrive il secondo, dopo aver denunciato che i problemi della seconda e persino della terza generazione iniziano già in una scuola settaria e discriminatoria.

GERMANIA. La letteratura italiana in Germania ha il merito di avere dato avvio a un movimento di forte impegno culturale, che viene definito con il termine *Ausländerliteratur*, cioè «letteratura degli stranieri». Come se gli italiani e la loro lingua potessero rappresentare l'universo delle etnie presenti nel paese. La definizione, inverosimilmente generica, rivela una sostanziale indifferenza a un concreto approfondimento del fenomeno.

Dopo un lungo silenzio, durato nel corso degli anni Cinquanta in cui i nostri connazionali operarono soprattutto per costituire una loro comunità all'interno della società tedesca, si giunse a una specie di presentazione ufficiale con la pubblicazione in lingua tedesca del volume: *Arrivederci, Deutschland* di Gianni Bertagnoli, nel quale veniva raccontato l'arrivo dei primi lavoratori italiani nel Baden-Württemberg. Perché in lingua tedesca? Perché evidentemente lo scopo che l'opera si prefiggeva era quello di aprire un dialogo assolutamente impossibile in lingua italiana. L'atteggiamento dei tedeschi nei confronti degli stranieri è già stato indicato dalla definizione di *Ausländerliteratur*, cui abbiamo appena fatto cenno.

La produzione dei nostri connazionali si sviluppò quindi sia in lingua italiana sia in lingua tedesca, secondo la sua destinazione. Chi scrive anche in tedesco, come Franco Biondi, Gino Chiellino, Lisa Mazzi, Fruttuoso Piccolo, punta principalmente sul dialogo; chi scrive in italiano: Antonio Pesciaioli, Gaetano Martorino, Salvatore A. Sanna e Franco Sepe, intende rivolgersi alla comunità italiana oppure operare nell'ambito ufficiale della letteratura italiana.

Rivolgersi alla comunità significa affrontare i temi tradizionali della letteratura di emigrazione: vale a dire il dolore della partenza, le difficoltà dell'inserimento nella nuova realtà, il senso dello sradicamento, la nostalgia della propria terra; ma anche l'affetto per la famiglia, il desiderio di coltivare la tradizione, l'attaccamento alla propria fede religiosa... In questo ambito sono numerosi gli autori, che in genere non pubblicano le loro opere ma le affidano alle riviste e ai concorsi letterari per farle conoscere. In Germania, a partire dalla seconda metà degli anni Settanta e fino ai primi anni Ottanta, questi autori ebbero nei «Quaderni Alfa» e nel mensile «Il mulino» due preziosi alleati. Trovarono una via accessibile per pubblicare le loro opere e, i più meritevoli, per vedere apprezzati i loro titoli.

A proposito di questi autori Carmine Abate, insegnante di italiano a Colonia e direttore della collana «Biblioteca nazionale» della Editrice Pellegrini di Cosenza nonché autore di varie opere, racconta un'esperienza molto significativa. Si era proposto di far conoscere in Italia gli scrittori emigrati, raccogliendo qualche loro pagina in una antologia. «L'idea iniziale – scrive – era quella di presentare testi da autori italiani di tutto il mondo. Ho scritto a tutti i giornali italiani d'emigrazione e ho ricevuto, dopo molti mesi, solo quattro risposte. Troppo poco per fare un libro. Mi sono quindi concentrato su un solo paese: la Germania federale, dove ho vissuto e vivo, nella quale il fenomeno della produzione letteraria dei nostri emigrati è molto diffuso. Pochi non hanno risposto al mio invito, perciò ho avuto a disposizione una enorme quantità di materiale». È nata così l'antologia *In questa terra altrove - Testi letterari di emigrati italiani in Germania*, pubblicata dalla Editrice Pellegrini nel 1987.

L'opera, accanto a testi improntati all'elegia della memoria e a un facile sentimentalismo, contiene testi di indubbio valore letterario, nei quali si può scoprire la complessità del mondo migratorio, la sua crescita sociale e culturale, la sua capacità di interrogarsi criticamente sul passato e di progettare un futuro di emancipazione. Riportiamo una poesia di Franco Biondi, nella quale si manifesta la forte accentuazione tematica.

> Niente è cambiato, madre:
> abbiamo permessi di soggiorno
> come tombe;
> il quotidiano tedesco ci batte alle tempie
> come giganti frantoi. Vogliono
> tenerci eternamente sotto il pietrisco.
> E tu lo sai, madre:
> nel mio pugno chiuso e alzato
> si sono piantate le ansie sin dall'infanzia
> le centenarie ansie.
> Ma lì dentro ho raccolto anche la forza
> per sgretolare questi macigni,
> questi cimiteri costruiti per noi.
> Gli alberi di cemento sono diventati stretti,
> siamo diventati di più, siamo più maturi,
> abbiamo fuso i nostri pensieri
> come il ferro nei forni.
> E con questi abbiamo costruito
> i magli, i cunei, le foratrici;
> non metteremo più i nostri cuori
> in scatole arrugginite.

«Il tema dell'identità – afferma Abate – è il tema centrale, nonché la chiave di lettura dell'antologia e, stando ai testi finora pubblicati, della letteratura dell'emigrazione italiana in Germania». Si tratta di una identità nuova, che tende ad affievolire i legami con il paese divenuto mito, utopia, ma non consente di affondare radici nella patria di elezione. La condizione di estraneità, di non appartenenza, è tradotta a volte con distacco e ironia, a volte con sofferenza profonda e con rabbia.

Altri scrittori, però, operano fuori della tematica migratoria. Tali sono Franco Sepe e Salvatore A. Sanna. Il primo è autore di due testi teatrali: *Berlinturcomedea* (1990), *L'incontro* (1990); il secondo è espressione di una poetica colta, legata alla tradizione italiana del Novecento assai più che alla realtà storica e sociale in cui vive.

Ricordiamo ancora due autori: Giuseppe Giambusso e Gino Chiellino, con il rammarico di doverne tralasciare molti altri a causa della tirannia dello spazio. Il primo scrive in italiano, ma affronta temi di emigrazione che riguardano anche tutte le altre etnie presenti in Germania. Importante, per esempio, è il tema dell'appartenenza del migrante al paese in cui vive, grazie alle esperienze attraverso le quali ha rinnovato la sua identità. Lo ritroviamo nella poesia intitolata *Germania*, contenuta nella raccolta *Al di là dell'orizzonte* (1985).

In questa terra
ho imparato a vivere.

Chiedo scusa alle madri dei fucilati,
ai paesi distrutti, all'odio
e alla rabbia,
alle mura
che aspettano ancora
di essere ricostruite:
è in questa terra
che ho imparato ad amare.

Qui mi sono buttato nudo
nella folla oceanica
dimenticando la cravatta e il salvagente
e ho vissuto senza rive
cercando mani senza passaporto.

Sono stato
pugno nella folla,
numero negli uffici del lavoro

e in fondo
forse
l'amore impossibile
dei neonazisti.

Forse
nei miei forse
sono stato
più me stesso qui
che altrove.

Chiellino è docente presso il centro linguistico dell'università di Amburgo ed è autore di numerose opere di saggistica e di poesia legate ai temi migratori. Ha curato anche varie antologie e ha creato notevoli contributi al dibattito sulla letteratura dell'emigrazione. Scrive in italiano e in tedesco. Addirittura in quattro lingue, come succede nella raccolta poetica *Sensucht nach Sprache*, dove usa l'italiano, il dialetto calabrese, il tedesco e l'americano dei migranti. Eccone un breve esempio.

Nan tu tri for fait

...

doppu tri anni e Merica

...

in tre anni di guerra

...

dem Vierjahrigen hatte er.

Naturalmente ci si può chiedere a quale letteratura debbano essere iscritti componimenti di questo genere. Ma è comunque utile segnalarne la presenza, poiché sono espressione di una tendenza postmodernistica, che in Italia è compresa nella «terza ondata»; e inoltre rivelano l'evoluzione e l'aggiornamento di una letteratura, totalmente uscita da ogni subalternità.

CANADA. Il nostro discorso si conclude con due paesi, che presentano notevoli affinità. Ci riferiamo al Canada e all'Australia, nei quali la nostra emigrazione giunse in massa nel secondo dopoguerra, conquistò abbastanza rapidamente la sicurezza economica e consentì già alla seconda generazione di qualificarsi culturalmente. Questo non significa che la prima generazione sia assente dal campo. Significa che nei due paesi l'espressione letteraria nacque da livelli più evoluti, e che gli autori di prima generazione per la maggior parte questi livelli li avevano già raggiunti in Italia.

In Canada si usa far risalire al 1946 l'inizio della letteratura italocanadese, sia pure convenzionalmente, poiché altre opere erano uscite in precedenza, a partire dal romanzo *Emigranti, quattro anni al Canada* di Anna Moroni Parken, pubblicato a Milano nel 1896. Nel 1946, infatti, comparve il romanzo autobiografico *Città senza donne*. L'autore si chiama Mario Duliani e giunse a Montreal da Parigi nell'anno 1936, quale corrispondente de «La Presse». Durante la seconda guerra mondiale fu internato in un campo di concentramento, e da quest'esperienza trasse materia per il suo romanzo. Una esperienza abbastanza particolare, che favorì tuttavia una certa promozione dell'italiano poiché l'opera, dopo essere stata pubblicata in lingua francese, fu pubblicata anche in lingua italiana. L'autore ci teneva particolarmente e la volle stampata in cinquemila esemplari, che non erano certo pochi per un mercato librario italiano a quel tempo assai povero.

Nel corso degli anni Sessanta e Settanta è assai esiguo il numero degli scrittori in lingua italiana, dato che non pochi preferirono usare la lingua inglese o quella francese. Ma a partire dagli anni Ottanta la situazione si modifica progressivamente. Oggi sono molti, più o meno giovani, quelli che scrivono e pubblicano le loro opere nella lingua della loro patria di origine. Si tratta per lo più di persone nate in Italia, mentre chi è nato in Canada preferisce usare le lingue locali. Comunque è cambiata l'atmosfera, che circonda questi scrittori. Mentre per Duliani fu una specie di *revanche* pubblicare il romanzo in italiano, oggi la parità culturale e linguistica è sancita ufficialmente grazie al multiculturalismo.

31

Non si può dire che gli scrittori in lingua italiana godano di particolare popolarità. Spesso sono poco conosciuti ed è difficile trovare le loro opere, pubblicate in Italia e in Canada generalmente da piccoli editori. Si nota tuttavia un crescendo di interesse per la loro produzione, confermato da un aumento costante del loro numero. Quanto scrisse nel 1965 Northrop Fiye a proposito del «naturale e continuo desiderio del pubblico canadese di autoidentificarsi nella sua letteratura», vale anche per il pubblico italo-canadese.

Spesso lo scrittore italiano in Canada è autore di un solo libro; o quanto meno nel primo libro rivela la parte migliore della propria ispirazione, che risiede nella memoria della terra d'origine, nelle ragioni e nel tempo della partenza da essa. Quest'opera può essere indifferentemente una raccolta poetica, un romanzo, le pagine di un diario o una serie di racconti. «Io non dissi nulla, ma subito mi balenò in mente l'idea di andare nel Canada dov'erano le mie due sorelle sposate – scrive Giuseppe Ricci nelle sue memorie, intitolate *L'orfano di padre* (1981). – Tornai a casa con una gran voglia di dire alla mamma che per me sarebbe stato meglio andare in America, dove avrei potuto avere un futuro migliore».

Ricordiamo i nomi dei poeti, che esprimono questa coscienza dell'esilio con maggiore immediatezza: Filippo Corea, Luigi Di Vito, Silvano Zamaro, Romano Perticarini, Giovanni Di Lullo, Corrado Mastropasqua, Elettra Bedon, Giovanni Costa e Filippo Salvatore, del quale riportiamo una composizione emblematica.

> Di pane ne ho in abbondanza,
> di acqua calda pure,
> ma non ho scoperto l'Eldorado
> che cercavo.
> Ho scoperto invece occhiate sprezzanti,
> una natura ostile, un vuoto
> incolmabile nell'anima,
> ho scoperto cosa vuol dire essere emigrante.
> E non c'è voluto molto sai,
> non c'è voluto niente.

Se questi nostri appunti non volessero soltanto sondare l'universo della nostra letteratura di emigrazione, realizzando qualche considerazione e raccogliendo alcuni nomi, sarebbe interessante il raffronto fra la duplice condizione vissuta dall'emigrato nei confronti del paese ospite: quella del rifiuto e quella dell'adesione. Abbiamo letto precedentemente i versi di Giuseppe Giambusso, emigrato in Germania: «In questa terra / ho imparato a vivere»; abbiamo letto poco sopra i versi di Salvatore, emigrato in Canada: «Ho scoperto invece occhiate sprezzanti, / una natura ostile, un vuoto / incolmabile nell'anima». Chiaramente le due diverse disposizioni esprimono una situazione personale, poiché ci sono molte pagine critiche nei confronti della Germania, come molte pagine favorevoli nei confronti del Canada.

Però, al di là delle affermazioni di carattere generale: che il clima del Canada anzi la «natura», come dice Salvatore, è «ostile»; oppure che la Germania è poco accogliente, c'è un universo di sfumature, che consentono di penetrare nella realtà del vissuto migratorio quasi ignorato o conosciuto in maniera sommaria. Il poeta e il narratore sono in grado di introdurci nella complessa realtà, e di farci capire come rifiuto e adesione possano derivare, non tanto dalle condizioni materiali realizzate nel paese di residenza, quanto invece da una condizione morale influenzata da mille circostanze. Riteniamo che la letteratura di emigrazione, specie se vista in maniera non frammentaria, ci possa fornire pagine di straordinario valore storico ed esistenziale. La valorizzazione di queste pagine è un impegno per quanti operano nel settore, del quale però anche gli studiosi dovrebbero essere partecipi.

Sulla funzione culturale dell'emigrazione, il poeta Giovanni Costa ci affida una confessione illuminante: «La mia formazione letteraria in Italia era circoscritta dal contesto limitato in cui vivevo: condizioni sociali e culturali, tradizioni secolari. In altri termini la mia parola abbracciava una sola dimensione: la mia dimensione. Con l'emigrazione, anche la mia parola ha fatto il suo pellegrinaggio incontrando un altro contesto: quello nordamericano, ben differente da quello italiano. Dopo circa trentasette anni di maturazione, la parola ha subìto un'espansione; parola-pellegrinaggio uguale espansione della parola, la mia parola viene da lontano e va più lontano. Questo concetto di espansione della parola si trova, per esempio, nei seguenti cinque versi: «Negli anni / ho tracciato la mia vita / ed il punto di me / va nel domani / senza capirsi».

Buona è anche la fioritura di narratori, fra i quali citiamo Dino Fruchi, Matilde Torres, Aniello Castrucci, Elena Mac Rau, Giuseppe Pisani, Aldo Gioseffini, Maria José Ardizzi, Ermanno La Riccia. Le loro opere rappresentano un momento evoluto del tipo di letteratura della quale stiamo parlando, però la tematica è costantemente legata ai temi dell'emigrazione. La partenza dalla propria terra, il viaggio, l'arrivo nella terra di elezione, l'inizio della nuova vita e la paura di non capire il nuovo mondo diventano altrettante allegorie, interpretate attraverso la diversità delle esperienze personali. Questo non può creare monotonia, poiché arricchisce una tematica esistenziale della quale è ben fornita la narrativa italiana. È una forte esperienza in più, che molti dei narratori di emigrazione sanno tradurre assai opportunamente.

Dino Fruchi, nel romanzo *Il prezzo del benessere* (1988), racconta una complessa vicenda, che prende avvio nel periodo anteguerra, in una famiglia di italiani emigrati in Libia. Le vicende della guerra impongono di ritornare in patria: nel paese di Galluccio, in provincia di Caserta. Il dopoguerra vede squallore e disoccupazione, e così i protagonisti decidono di emigrare. Di qui comincia la terza fase del racconto: quella dell'ambientamento, che non è certo agevole ma alla fine diventa qualificante: «Immigrati di tutte le razze e di tutte le epoche, che siano duemila, trecentocinquanta o trent'anni questa terra dove tutti siamo venuti ci appartiene di uguale diritto. Con lotte, con sacrifici, con ingiustizie e atti di eroismo, abbiamo imparato a coabitare, a saperci comprendere. Quando si ama, ogni terra è una patria».

Matilde Torres racconta invece, nel romanzo *La dottoressa di Cappadocia* (1982), i sentimenti contrastanti di una donna, che lascia l'Italia per raggiungere in Canada l'uomo che ama. Un'esperienza assai interessante, che non ha nulla a che fare con quella spesso amara dei «matrimoni per procura» di cui raccontano i narratori italoaustraliani, ma presenta tuttavia i suoi momenti di sofferenza: «Dopo poco superammo una barriera di nuvole che eclissò la terra – narra l'autrice descrivendo la partenza dall'aeroporto di Fiumicino. – Avvertii un dolore nel mezzo del petto: avevo accumulato un'altra piccola morte... Avevo reciso il cordone ombelicale che mi legava all'Italia... Mi ero annullata per risorgere in un'altra dimensione, tra l'azzurro infinito del cielo, sopra uno spumone di nuvole e con nel cuore la speranza che al di là dell'oceano avrei trovato la libertà, la giustizia, la pace e la felicità che sognavo».

La speranza è la molla principale di tutte le partenze. Aniello Castrucci, autore di un volume di carattere autobiografico intitolato: *I miei lontani pascoli - Ricordi di un emigrante* (1984), scrive: «Siamo venuti in Canada per progredire, per creare una famiglia, per dare una buona educazione ai nostri figli». Dalla memoria emergono episodi lieti e tristi, ilari e amari: le feste popolari e religiose nella natia Carpineto, in provincia di Roma, le esperienze della giovinezza in una Italia sconvolta dalla guerra, i personaggi che popolarono questa lontana realtà. Il protagonista li rievoca tanti anni dopo a Ottawa, mentre assiste, dietro a una finestra, all'imperversare di una tempesta di neve. Ma il rifiuto iniziale si è trasformato in serena accettazione; e nelle ultime pagine, pacificato interamente con se stesso e con il mondo, dichiara il suo amore per quella che definisce, nonostante il suo clima, una «bellissima nazione moderna».

Anche Elena Maccaferri Randaccio e Aldo Gioseffini hanno scritto il loro diario. Quello della prima, pubblicato con lo pseudonimo di Elena Mac Ran, si intitola *Il diario di una emigrante* (1979) e offre un racconto di grande vivezza poetica, nonostante sia affidato a una scarna ma sincera esposizione dei fatti; quello del secondo si intitola

Amarezza della sconfitta (1989) e fornisce un'ampia testimonianza di emigrazione e di umanità. La vita dell'autore è quella dell'eterno migrante: figlio di migranti, migrante egli stesso, come se migrare fosse un privilegio o un destino. Appare però un destino tragico, perché chi ne è vittima si sente straniero in tutti i luoghi: nella sua e nell'altrui patria.

Maria José Ardizzi ha scritto una trilogia sulla vita dei nostri emigrati in Canada: *Made in Italy* (1982), *Il sapore agro della mia vita* (1984) e *La buona America* (1987). Protagonista del primo è Nora, una settuagenaria che ricostruisce in chiave prevalentemente elegiaca la storia della sua vita nella Toronto degli anni Cinquanta, e descrive con linguaggio esplicito le contraddizioni e le ipocrisie della società locale. Protagonista del secondo è Sara, che dovrebbe operare la mediazione fra i due mondi, mentre è condannata a un futuro di alienazione. Ecco come descrive la sua condizione spirituale, mentre riparte dopo un breve soggiorno in Italia: «Adesso mi allontanavo dal mio paese per la seconda volta, ma in un modo diverso. Adesso sapevo che cosa mi aspettava alla fine del viaggio; sapevo le artificiose definizioni di tempo e di luogo. Sapevo che avrei chiamato James dall'aeroporto per dirgli che ero tornata».

Protagonista del terzo romanzo è invece un uomo: Pietro. Diversamente da Nora e da Sara, che avevano sognato il Canada come il paese della libertà individuale, egli punta al successo economico. Lo raggiungerà, ma non raggiungerà la serenità interiore. Immischiato in una difficile relazione e alienato dai falsi miti della società canadese, conferma i presupposti ideali che hanno guidato l'autore nella realizzazione della trilogia: l'uomo non può prescindere dalla sua storia e dalla sua integrità morale; quando abbandona il suo mondo, deve preoccuparsi soprattutto di coltivarne i valori.

Concludiamo la nostra esposizione con uno scrittore, che ci è amico e ben conosciamo: Ermanno La Riccia, nato a Larino in provincia di Campobasso ed emigrato a Montreal nel 1952. Di professione ingegnere, dirige una scuola di lingua italiana e collabora a giornali e riviste. È autore di poesie e di due volumi di racconti, intitolati: *Terra mia - Storie di emigrazione* (1984) e *Viaggio in paradiso* (1990). In entrambi i campi riversa non soltanto la sua visione della realtà migratoria, ma anche la memoria incorrotta della terra di origine e la sua concezione della vita. Citiamo un frammento della lirica intitolata *Alba*, nella quale il sentimento religioso diventa esplicito invito alla solidarietà umana.

> È l'alba,
> fanciullo,
> non senti?
> S'ode una voce.
> Sveglia,
> fanciullo,
> non vedi?
> passa la Croce.
> È scolpita
> negli occhi
> di un uomo
> cadente,
> vestito di stracci,
> affamato,
> tremante;
> è scavata
> su una faccia
> senza primavere
> che lo porta
> pel mondo
> come una bandiera.

Nei racconti La Riccia mescola le due realtà: quella presente e quella passata. Ed entrambe popola vivamente con le sue figure, che sono quasi esclusivamente semplici contadini del meridione italiano, oppure emigrati da quelle stesse terre. La sua narrativa è vivace e arguta, piena di colore e rapida nello svolgimento. Però in tutte le pagine, anche in quelle che presentano vicende quasi ilari, si avverte un senso di umana pietà, nella quale si esprime la moralità profonda dell'autore.

AUSTRALIA. Negli anni Cinquanta emigrano in Australia circa 400 mila italiani. Alcuni di loro, fin dai primi anni, traducono nella pagina scritta il succo delle loro esperienze e dei loro sentimenti. La maggioranza opta per la poesia, specie all'inizio; per quanto concerne la narrativa, bisogna giungere alla metà degli anni Sessanta prima di trovare una produzione di qualche consistenza. Predomina nettamente quella in lingua italiana, a differenza di altri paesi. E la ragione è facilmente spiegabile, perché gli autori sono nella grandissima maggioranza di prima generazione. Però qualcuno usa le due lingue: traducendo dall'italiano e qualche volta scrivendo direttamente e solo in inglese.

È importante il fatto che la narrativa abbia prodotto finora, con una quarantina di autori, circa un centinaio di opere: romanzi e racconti, pubblicati in loco oppure in Italia. Cominciamo a citare i nomi più noti: Gino Nibbi, Rosa Cappiello, Pino Bosi, Giuseppe Abiuso e Giovanni Andreoni, che meritano di essere conosciuti anche in Italia. Un tema comune è il rapporto con il paese in cui vivono. Nibbi si presenta nella veste dell'osservatore spassionato della società e della cultura australiane. Emigrato nel 1928, rientrò in Italia nel dopoguerra e morì a Grottaferrata nel 1969. Dell'esperienza australiana ha lasciato due volumi di racconti: *Il volto degli emigranti - Scene di vita in Australia* (1937) e *Cocktails d'Australia* (1965). In essi viene presentata una molteplicità di figure, di fatti personali e collettivi, di vicende a metà fra l'arguto e il disincantato, attraverso i quali si esprime la visione dell'autore. «Paese nuovo, – scrive sull'Australia nel racconto *Il baritono pessimista* – di gusti ancora informi, di esperienze primordiali. E tuttavia in Australia, la nozione dei grandi fatti dello spirito umano lascia a desiderare; e i privilegiati che la possiedono, scarseggiano di quel sentimento imprescindibile che dovrebbe avvalorarla».

La Cappiello, invece, esprime con linguaggio sferzante la sua critica. Il romanzo *Paese fortunato*, pubblicato dall'editore milanese Feltrinelli nel 1981, rappresentò un caso letterario in Australia, poiché rovesciò l'immagine ufficiale del «paese felice», pubblicizzato dalle locandine turistiche, per offrirne una stravolta e chiaramente condizionata dalla memoria viscerale della terra d'origine.

L'incontro con la società australiana è traumatico: «Scoprii che c'erano inferni diversi. Uno per ragazze sole. Uno per giovani soli. Uno per le donne sposate. Uno per i figli. Assommandoli, formavano un unico inferno prefabbricato. Quello degli emigrati. E che il vento spirava un fiato pietrificato dalle comunità etniche. Come nuovo membro, ero irremovibile. Ci sputavo sopra, in quanto non stirpe o elemento competitivo che significa razza o costume, bensì pretesa di creare piccoli universi separati e nemici tra loro. Non volevo, né dovevo, sacrificarmi».

Il linguaggio è evoluto, di scrittore sicuro e penetrante. Tale cioè da fare ricredere quanti ritengono che la letteratura di emigrazione sia soltanto elegia ritrita e balbettii in italianese. Ci auguriamo che le numerose citazioni inserite nelle presenti note rechino conforto all'affermazione.

Il romanzo della Cappiello, che aveva pubblicato qualche anno prima un altro volume: *Semi neri*, fu accolto con forti resistenze dalla comunità italiana, interessata a promuovere la buona immagine del paese e a mantenere cordiali rapporti con l'autorità. Qualcuno avanzò il sospetto che si trattasse di un falso poiché, e appare abbastanza logico, poteva considerarsi illegittimo un tale risentimento nei confronti di un paese, che aveva offerto a tutti ospitalità e lavoro.

Fra i temi più comuni di questi narratori citiamo quelli relativi alla vita della comunità: quella quotidiana dei quartieri e della famiglia, ma anche quella culturale e ideale della tradizione; i ricordi del passato; il legame con la terra d'origine e insieme il rapporto con la nuova patria; il giudizio sulla società e sulla cultura locale, della quale si respinge il secolare razzismo, ma si apprezza la volontà multiculturalistica. Il paesaggio è invece un aspetto conciliante della controversa realtà. Per Nibbi la lussureggiante foresta della Tasmania è rifugio di tranquillità e favolosa esplosione del primitivo; e per la Cappiello lo splendore della baia di Sydney rende sopportabile l'alienazione determinata dall'ambiente: «Il cielo qui è una rivalsa contro la solitudine. Azzurro annuvolato. Annuvolato azzurro. Azzurro azzurro. Qui scoprii le spiagge meravigliose».

Pino Bosi dimostra un ponderato apprezzamento nei confronti degli italiani d'Australia. Nella loro comunità l'emigrato ha la possibilità di integrarsi e di identificarsi, trovandovi aiuto, continuità culturale e protezione nei confronti della società australiana, che per certi aspetti gli è ostile. È uno spirito di italianità trapiantato, che trova conforto nell'orgoglio di avere raggiunto il benessere materiale attraverso lunghi anni di lavoro. Ecco un breve ma significativo brano tratto dal romanzo *Australia Cane* (1970): «"Questa è la terra del lavoro e dell'abbondanza", disse quella sera Gerolamo Scabbia... Con gesto solenne indicò l'imponente frigorifero, il radiogrammofono-bar, la mobilia e tutta la casa. "Tutte le comodità, – ripeté Giovanni – come il dottore. Che ve ne pare?"».

Altri narratori non convengono su questa valutazione del benessere materiale, nella quale si coglie l'assunzione del materialismo tipico della società australiana. Sono dell'opinione che gli australiani siano privi di cultura e dediti all'alcol nel tentativo di vincere la propria angoscia esistenziale. I rapporti fra italiani e australiani, anche a livello personale, sono fortemente viziati da preconcetti. Per gli australiani, gli italiani sono dotati di poca intelligenza e di scarsa conoscenza linguistica: perciò non sono in grado di partecipare in maniera costruttiva alla vita economica e sociale del paese. Secondo gli italiani, invece, gli australiani sono ignoranti, poco propensi al lavoro e all'ordine nonché totalmente privi di buon gusto.

Da parte australiana, però, i pregiudizi possono andare oltre. E sfociare in un vero e proprio razzismo, che sembra non attenuarsi nemmeno di fronte al tentativo dell'immigrato di «diventare australiano». È un tema ripreso, fra i vari altri, da Giovanni Andreoni, autore di *Martin pescatore* (1976), *La lingua degli italiani d'Australia e altri racconti* (1976), *L'australiano come linguaggio letterario - Un raccon-*

to documento (1982). Nel racconto *La giornataccia di Montefiore*, il protagonista, direttore di banca in una cittadina rurale del New South Wales, tenta in ogni modo di cancellare la sua origine italiana, per inserirsi senza minorità nella piccola finanza locale. Ma non ci riesce: nemmeno sposando una ragazza australiana. E i *farmers* ridono alle sue spalle, perché il cognome lo tradisce inequivocabilmente e perché non regge alla birra.

Il tema del multiculturalismo, sul quale si appuntano sempre maggiori speranze, è affrontato nelle opere di Giuseppe Abiuso, in particolare nel *Diario di uno studente italoaustraliano* (1975), nel quale è narrata la storia di un giovane emigrato con i genitori alla fine degli anni Sessanta e bloccato nei suoi studi, perché l'ordinamento scolastico australiano non aiuta l'immigrato a inserirsi nel sistema. La storia però si conclude in maniera quasi profetica. Questo giovane decide di cercare lavoro nel Northern Territory, una zona selvaggia in cui sente pulsare l'anima del continente. Nonostante le esperienze negative della scuola australiana ma anche della Little Italy di Melbourne, aveva cominciato a capire l'«affascinante verità» della nuova terra.

Narratore interessante è anche Alfredo Strano, autore di tre opere nelle quali si esprime il molteplice impegno dello scrittore di emigrazione. Due sono scritte in italiano: *Prigioniero in Germania* (1973), *Italiani senza patria* (1991); una in inglese: *Luck Without Joy* (1986). La prima racconta le vicende autobiografiche del tempo di guerra, la seconda quelle dell'esperienza migratoria, ma con una dilatazione corale che la rende testimonianza della comunità; la terza racconta la storia di un emigrato, Ezio Luisini, che fu considerato l'italiano più ricco di Australia. Ecco come lo presenta Strano in un sintetico ritratto: «...rappresentava un'intera generazione di emigrati, condizionati da una mentalità ottocentesca... I suoi più cari ricordi erano quelli che lo riportavano alla vita semplice del bush australiano, alla madre, alla prima moglie. I più tremendi erano quelli legati alla miseria, durata tanti anni. Aveva conquistato la ricchezza materiale, sottoponendosi però alla schiavitù del lavoro, per cui non conobbe mai le gioie della vita».

Un cenno anche al teatro, che annovera in Australia numerosi autori. Ricordiamo Nino Randazzo, valoroso direttore del settimanale di Melbourne, «Il Globo», che ha riscosso un notevole successo con la commedia *Il pane e la rosa*, nella quale viene presentato in chiave brillante ma anche emblematica il conflitto generazionale; Tony Giurissevich, autore di *Mogli e buoi dei paesi tuoi*, ove si affronta una analoga tematica, coinvolgendo anche i costumi italiani del nostro tempo; e quindi Marco Danieli, cui dobbiamo la vivace e gustosa rappresentazione di *Matrimonio per procura*.

La poesia, come è detto in apertura delle nostre note sull'Australia, rappresentò l'espressione prima e spontanea dei nostri connazionali in campo letterario. Numerosi furono quelli che vi si dedicarono, esprimendo gli stessi sentimenti e risentimenti dei narratori, ma anche una più marcata vocazione all'elegia e alla nostalgia. Ne presentiamo due, che riteniamo particolarmente significativi. I loro nomi: Lino Concas e Luigi Strano, cugino di Alfredo Strano del quale abbiamo parlato pocanzi.

Il primo è nato a Gonnosfanadiga, in provincia di Cagliari, nel 1930. Emigrò in Australia nel 1963, dopo aver compiuto studi letterari, filosofici e teologici. In terra di emigrazione si dedicò all'insegnamento, ma coltivando una vocazione poetica, che trasse forte alimento dalla nuova esperienza. Ha pubblicato alcune raccolte di liriche: *Brandelli d'anima* (1965), *Ballata di vento* (1977), *Uomo a metà* (1981), *L'altro uomo* (1988), nelle quali, accanto al trauma per l'abbandono dell'isola amata, si esprime una tensione metafisica e un'ansia morale, non molto frequenti nella poesia di emigrazione. Il poeta cerca se stesso nella realtà in cui vive, nella memoria di cui conserva immagini solari e tragiche, nella storia della sua anima gravata da oscure sofferenze. Leggiamo alcuni versi di *Mio fratello aborigeno*, che fa parte della raccolta *Malleé, qualcosa che brucia*:

Senza luce la mia faccia.
Io come te, fratello
che invoco il sole e la pioggia,
come te attingo in caverne
il mio sangue di vivere.
Allungo i miei passi in deserti
e orizzonti staccati di silenzio.
Ho un battesimo di vento
e attendo il riapparire della notte
che mi ha generato col sacro fuoco
dai confini remoti,
memorie lontane del mio io
disciolto in sabbia e pietre.

Luigi Strano, nato a Castellace in provincia di Reggio
Calabria, emigrò nel 1929. Vive a Sydney, dove ha pubblicato le sue raccolte di poesie: *Inquietudine* (1959), *Acque-
relli e mezzetinte* (1959), *Una forcatella di spine* (1969),
Mostratemi la via di gire al monte (1970), mutuato da un
verso del *Purgatorio* di Dante. Il ricordo della regione natale in lui è glorioso: «Quanto sento rievocare la mia terra /
nei grandi libri del passato: / in Erodoto e Laerzio / in Ari-
stotele e Platone, / il cuore dà un sussulto»; e allo stesso
tempo realistico: «Ma voi sapete / quant'odio si cova / nel-
l'aria malsana di Castellace?».

Ma anche della nuova patria scrive con tenerezza:
«Sydney città dei miei sogni. / Se mai penso di partirmi, /
di staccarmi da te, / mi si inumidiscono gli occhi». E persino con benevola arguzia, anche quando ne denunci l'inguaribile razzismo. Ne abbiamo un gustoso esempio nella
composizione intitolata *Thinking Aloud*:

Mentre cerco di avviare
la vite selvatica
sul filo spinoso del limite,
la mia vicina
viene a lagnarsi
della mancanza di mano d'opera.
Non si preoccupi, dico
senza smettere di lavorare,
sto convincendo
dei nuovi arrivati

a stabilirsi quassù;
sono italiani
hanno tanta voglia di lavorare
ottimi giardinieri...
Ma dove è scomparsa?
Infastidita, irritata
la donna si allontana
esclamando:
«Another Italian Family».

Al termine di queste annotazioni, il cui fine è stato soltanto quello di offrire alcune rapide sintesi e di proporre alcuni nomi, vorremmo trarre un paio di conclusioni di carattere generale. La prima è che la letteratura italiana di emigrazione non solo è quantitativamente nutrita, ma è anche qualitativamente apprezzabile; la seconda, che ne deriva una testimonianza di straordinario valore umano; la terza, che costituisce una imprescindibile appendice della letteratura nazionale. Ne consegue il dovere, culturale e politico, di dedicarle l'attenzione che le compete e di catalogarla finalmente nella sua storia e nella sua attualità. Essa costituisce un patrimonio che deve essere salvaguardato e promosso, onde evitare la sua dispersione e il suo oblio.

ALBERTO FRASSON

COME È NATO
QUESTO LIBRO

Il presente volume raccoglie una serie di racconti, scritti o ispirati da italiani che vivono all'estero. Non si tratta di racconti creati dalla fantasia, bensì di racconti autobiografici nei quali sulla vicenda personale si innesta molto spesso la coralità sociale. Racconti di testimonianza insomma, che sono stati già pubblicati sul «Messaggero di sant'Antonio», edizione in lingua italiana per l'estero, ma che riteniamo assai utile riproporre in questo volume a futura memoria.

La nostra emigrazione, che ha condotto all'estero milioni di italiani, è a un passaggio cruciale della sua storia: o viene rivalutata per la funzione sociale cui assolse in un passato anche recente, e per l'importanza che ha assunto in tanti paesi; o viene abbandonata a un destino di oblio. Vale a dire che per incuria e per non conoscenza si lascerà svanire anche la memoria di una italianità, cui attinsero milioni di connazionali nei cinque continenti e milioni di loro figli e nipoti, cresciuti sulla scia di una tenace tradizione di fedeltà e di amore.

L'opera è nata da una volontà comune di testimoniare questa fedeltà e questa tradizione. E da un grande desiderio di lavorare insieme. Perciò non abbiamo firmato i singoli pezzi allo scopo di evitare, almeno formalmente, una

45

caratterizzazione antologica che poteva ridurre l'intento unitario. È dovere però segnalare gli autori che vi hanno collaborato, ai quali va il nostro fervido ringraziamento. Ne elenchiamo i nomi in ordine alfabetico, con il titolo dei pezzi apparsi sulla rivista con la loro firma:

Alberto Felidi,
– *Anziani al sole nei parchi di Brooklyn*;

Anna Frasson Gray,
– *Padovana a Pittsburgh sogna italiano*;

Nerina Lenaz,
– *Un ritorno doloroso*;

Adriano Madonna,
– *Un salesiano a Macao*;

Francesca Massarotto,
– *Finalmente ho capito che era finita bene*;

Giorgio Mauro,
– *Nessun muro può fermare la volontà di pace*;

Virgilio Panozzo,
– *Un prezioso lasciapassare per il British Commonwealth*;

Dante Piraccini,
– *Pasini Lorenzo professione moleta*;

Bruno Romano,
– *Trovai la seconda patria giungendo in Canada*;

Alberto Signoretto,
– *Un esploratore veronese nel deserto della Patagonia*;

Paola Alessandra Taraglio,
– *Dalle colline del Canavese alle miniere dell'Illinois*,
– *Cimitero piemontese nell'oceano Indiano*;

Walter Tonelotto,
– *Le prime lacrime dopo anni di carcere*.

Un ringraziamento particolare rivolgiamo inoltre a due nostri apprezzati e fedeli collaboratori da molti anni.

Il primo, **Marco Danieli**, che vive in Australia dal 1952 e collabora anche ai settimanali italiani «Il Globo» di Melbourne e «La Fiamma» di Sydney, è autore dei seguenti racconti:

– *Quando la vita è romanzo,*
– *Nemmeno il successo ha mutato il suo cuore,*
– *Vocazione alla solidarietà di una coppia in Australia,*
– *A palazzo di giustizia si parla la nostra lingua,*
– *Dal campo di Bonegilla al senato dello stato.*

Il secondo, **Ennio Tessari**, residente ad Adelaide dal 1959 e collaboratore di giornali italiani e australiani, è autore dei racconti intitolati:

– *Dall'altopiano di Asiago al Sud dell'Australia,*
– *Una storia comica solo in apparenza,*
– *Una Madonna nera nella cattedrale di Darwin,*
– *Tra regge e imperatori,*
– *Il senatore Stefani e il campanile di Conco,*
– *Un politico che canta nel senato australiano,*
– *Le sue idee volarono libere come i sogni,*
– *Un Natale tragico nel deserto australiano,*
– *Il ciabattino di Lygon Street,*
– *Ritornare a Natale nella terra del padre.*

Tutti gli altri capitoli di questo volume sono opera di **Luciano Segafreddo**, direttore del «Messaggero di sant'Antonio», edizione in lingua italiana per l'estero.

L'Editore

LE PRIME LACRIME
DOPO ANNI DI CARCERE

Un pomeriggio, un giovane mi portò una lettera in cui a stento lessi l'appello accorato di una madre, che mi chiedeva di andare a visitare il figlio in prigione. Da undici anni era emigrato in Canada, ma appena arrivato gli era successo una cosa terribile: aveva ucciso la fidanzata canadese con sei colpi di pistola alla testa. Un atto di pazzia e di delusione. Tra quelle righe sconnesse, scoprii tutto il dolore di una madre, che non poteva far nulla per il figlio lontano. Mi ripromisi di fare questa carità, anche se Kingston distava quattro ore di macchina dalla città in cui vivevo.

Mi presi due giorni liberi, così potevo andare nel primo giorno e tornare nel secondo. Era d'inverno, il gelo canadese si faceva sentire. Fu il giorno più freddo di quell'inverno: 58°C sotto zero. La strada che porta al Kingston Penitentiary si snoda in una pianura sconfinata. Qua e là qualche silos e qualche stalla. Avevo paura di rimanere in quel gelo, con il rischio di morire congelato. Il calore della mia Toyota non riusciva nemmeno a sgelare il mio fiato, che appannava i vetri. Che brutta impressione mi fece quella distesa di neve, sulla quale il vento scorrazzava, contrastato solamente dai fili di rete metallica e dalle torri di vedetta.

Appena uscii dall'automobile, mi accorsi che i miei guanti erano troppo leggeri. Mi chiusi dentro il mio giubbotto da eschimese e a piedi mi avviai verso il cancello. Con sorpresa il cancello si aprì immediatamente. Fui meravigliato, perché non c'era anima viva. Sapevo però di essere entrato in un mondo dove ogni mossa era sorvegliata. Proseguii con trepidazione e dietro di me il cancello si chiuse automaticamente. Cinquanta metri più avanti ce n'era un altro, che si aprì appena il primo fu chiuso. Passato il secondo cancello, c'era una specie di roulotte. Alla porta apparve subito un poliziotto.

«Buon giorno», disse.

«Buon giorno».

«Dove va da queste parti?».

Aprii il giubbotto per far vedere che ero prete.

«Oh, padre, dove andate con questo gelo?».

«Vengo da Hamilton per visitare un interno».

«Da Hamilton? – esclamò meravigliato. – Come ha fatto a raggiungere questo posto? C'è una tormenta di neve che bloccherà tutte le autostrade. La polizia ci ha avvisato di andare a casa al più presto».

«Se non potrò continuare, mi darete una cella – dissi scherzando. – Sono venuto per vedere M.B.».

«È mai stato in questa prigione, padre?».

«No».

«Venga dentro».

Mi presero la foto con un numero appeso al collo, come si fa con i carcerati. Mi chiesero di depositare tutti gli oggetti di metallo: chiavi e altro. Persino la corona.

«Quando ripassa le verranno restituiti. Capirà, padre, sono regolamenti che dobbiamo osservare».

«Non si preoccupi. Ora dove vado?».

«Prosegua per un cinquecento metri e poi un altro poliziotto la condurrà nel parlatorio».

Anche là tutte porte automatiche, dalle cui finestrelle apparivano facce impassibili di poliziotti che ti scrutavano dalla testa ai piedi. Mi fecero sedere in un gran salone, diviso in due da una grossa vetrata. Vidi tante persone, che cercavano di parlare attraverso una piccola inferriata.

Dall'altra parte i carcerati, per lo più giovani, tutti con l'orecchio appiccicato a quella inferriata.

«Chi è lei?» mi domandò M.B., un giovane sulla trentina, magro e pallido.

«Sono un sacerdote, e sono venuto a portarti i saluti di tua madre».

«L'hai vista?».

«No, ma ho ricevuto una sua lettera in cui mi chiedeva di venirti a trovare. Tuo fratello di Toronto ti manda a salutare».

«Ma perché si è preso questa briga? Per me è finita. Mi faccia un favore, vada a casa».

Non sapevo proprio come reagire. Allora cambiai sistema. Incominciai a parlare in dialetto, chiedendogli come trascorreva la giornata, che lavoro faceva e così via. Da principio era ancora duro, poi incominciò a sciogliersi un po' e così iniziammo a parlarci veramente.

«Sai che io sono qui ingiustamente?» mi disse.

«Perché, che è successo?».

«La mia ragazza è ancora viva, perché l'ho vista in quell'angolo. Mi ha guardato, poi se n'è andata. Se lei si presenta alla polizia, io sono fuori in ventiquattro ore, perché allora non si tratta più di omicidio».

«Ma sei sicuro? Mi sembra incredibile».

«Sì, padre, ti dico che l'ho vista».

Uscii dalla prigione con il fermo proposito di andare fino in fondo all'enigma. Era possibile che fosse là dentro a marcire ingiustamente per undici anni? Per uscire dalla prigione dovetti rifare il percorso già fatto. Ripresi le mie cose e mi avviai verso la mia Toyota, che era quasi coperta dalla neve. E se per caso la macchina non partiva? Le mie mani erano congelate. In qualche maniera riuscii a pulire le ruote. Mi tirai fuori dalla neve e cominciai a pulire i vetri. Quando sembrava che tutto fosse pronto per partire, entrai nell'auto e cominciai a sentire un dolore acuto al mignolo della mano sinistra.

«Madonna mia, forse si è congelato – pensai. – Speriamo di non dover andare all'ospedale».

Misi il dito in bocca e incominciai a succhiare forte, per facilitare la circolazione del sangue. Intanto il cielo si faceva minaccioso e alla radio sentii che la polizia aveva chiuso l'autostrada per Montreal. Continuavano a dire di stare chiusi in casa e di non arrischiarsi a uscire. Ma che potevo fare a quattro ore di macchina da casa? Volevo andare a Montreal, dove avrei potuto fermarmi presso qualche sacerdote, ma l'autostrada era chiusa. Decisi di continuare. Nel peggiore dei casi mi sarei fermato in qualche motel. Sempre meglio lungo l'autostrada, dove c'era un po' di vita e di movimento, che quel deserto di neve. Il buio, che stava calando, mi diede molto fastidio. Non c'è di peggio che guidare al buio con una tormenta di neve. Il dito, però, non mi doleva più.

Qualche santo mi aiutò, e quando arrivai a Montreal, la neve si era calmata. Ce n'era però almeno quaranta centimetri. Proseguivo a dieci miglia all'ora, sempre con la paura di fermarmi. Da tempo non avevo visto anima viva lungo le strade. Molte auto erano rimaste bloccate ai lati. Per fortuna vidi arrivare alcuni automezzi, che pulivano le strade. Correvano abbastanza veloci e bisognava stare attenti, altrimenti avrebbero spazzavano via anche me. Erano tre, uno dietro l'altro, e così spingevano tutta la neve da un lato. Mi misi dietro a loro e li seguii fino in città. I padri, quando mi videro alla porta della missione, non volevano credere ai loro occhi.

Ritornai ancora tre volte, per vedere M.B. Diventammo quasi amici. La terza volta era l'anno seguente, poco prima di Natale. Volevo affrontare il discorso della morte della fidanzata. Lui cercava di negare, affermando che era ancora viva.

«Non è proprio la fine del mondo questa morte – dissi a bruciapelo. – Dio ti può perdonare; inoltre non ti farà scontare nessuna pena. Anzi ti dico che nel tuo cuore può nascere ancora Gesù bambino. Gli altri ti possono considerare un delinquente, ma nel tuo cuore puoi avere la pace di Dio».

Non sapevo come l'avesse presa. Però un mese dopo ricevetti una lettera in cui scriveva: «La ringrazio, padre, perché non mi ha abbandonato nemmeno quando io l'ho respinto. La ringrazio soprattutto perché, con le sue parole, mi ha dato una speranza. Quando mi disse che Gesù bambino poteva nascere nel mio cuore, mi sono sentito nuovamente uomo e non una bestia, come la società mi definisce. La notte di Natale mi confessai dal cappellano della prigione e andai alla messa di mezzanotte. Ricevetti la comunione con le lacrime agli occhi. Le prime dopo undici anni di carcere».

M.B. oggi vive è in Italia, perché, tramite l'interessamento di amici e di autorità politiche, il governo canadese concesse gli la libertà a condizione che venisse estradato in Italia. Oggi, forse, vive una vita normale.

PASINI LORENZO
PROFESSIONE MOLETA

Oggi bastano due ore di aereo dall'Italia a Bristol. Mio padre ci venne a piedi, camminando per sei mesi. Arrotando forbici e coltelli nelle *farms*, dove otteneva *bed and breakfast*. Sul fieno delle stalle, ovviamente.

Questa è roba passata, perché io sono nato nel 1894. Ma non venite a dirmi che sono favole. Questa è storia. Quella vera e vissuta: quando dalla Val Rendena, nelle Giudicarie, dodici moleta iniziarono il loro cammino per attraversare, passo dopo passo e giorno dopo giorno, la Svizzera e la Francia prima di arrivare al porto d'imbarco di Calais. Qualcuno si fermò lungo la strada, mio padre no. Era di quelli che sanno veramente tener duro.

La «mola» procedeva con noi, dalla primavera all'autunno: la ruota cerchiata di ferro, come noi eravamo armati di coraggio e di miseria. In inglese sapevamo dire soltanto due parole: *knife* e *scissors*; ma, per fortuna, non dovevamo scriverle.

La gente però ci dava lavoro, per curiosità della nostra strana attrezzatura, ma soprattutto per la nostra bravura. Sapere usare la mola è un'arte, e i nostri vecchi l'hanno tramandata di generazione in generazione. Un vero moleta deve sentire «il filo che arriva».

Occorre che sulla lama sparisca la «striscia bianca», e occorre la massima attenzione perché la temperatura non «bruci» il coltello. Si deve impugnare saldamente la lama con la destra e misurarne la sensibilità con le dita, calcolando le gocce d'acqua per evitare «la polvere».

Per un coltello si guadagnavano anche due pennies e bastavano a mantenere la famiglia, lasciata in Italia. Quelli sì che erano tempi... Macellai, ristoranti, hotel imparararono a conoscerci e ad apprezzarci, tanto che potevamo servire una strada al giorno.

Gli antichi dicevano che «essere» e «parlare» sono la stessa cosa. Forse questa definizione calza come un guanto per certe persone, che si affannano per apparire ridicole o patetiche a forza di sputare vocaboli di grezza banalità. Ma a quattordici anni, io «ero». Anche senza parlare inglese. Un benevolo *bobby* del 1908 mi notò, mentre ero assorto a osservare ogni goccia d'acqua che, cadendo con regolare lentezza sulla «mola», mi regalava un gioco meraviglioso di scintille e mi rubava tutti i pensieri.

«*Why don't you to school?*».

Fu così che feci la conoscenza con l'istruzione del Regno Unito per la durata di cinque mesi. Il mio compagno di banco era un simpatico scugnizzo napoletano, che non riuscivo a capire come non capivo gli inglesi. E fu per tanti anni solitudine amara a cui ci costringeva la frontiera delle lingue. Poi vennero anche i fili spinati dei campi di concentramento perché, durante la prima guerra mondiale, io ero «austriaco di Trento».

All'inizio della seconda guerra fui ancora internato perché ero italiano. Ma ormai la gente mi conosceva e ben duecento inglesi firmarono la petizione perché restassi a Bristol, senza emigrare a Reading, dove viveva un mio cugino. Bristol era proibita per un «nemico» come me, che doveva stare ad almeno trenta chilometri dal mare. Avrei potuto anche cambiare mestiere, ma non l'ho mai fatto per amor di libertà.

Non dite che faccio il filosofo a buon mercato, perché io posso spiegare il segreto della mia fortuna. È una fortuna da poco, perché la mia pensione è di 22 sterline la settimana. Non ho mai voluto un padrone, neanche se mi pagava le marche assicurative. Così ora prendo la metà degli altri pensionati, perché ho pagato solo la seconda categoria come *self employed*. Ma io la mia pensione me la godo almeno per il doppio degli anni.

La libertà mi ha costato, ma mi ha reso questo. E mi vanto di essere stato sempre un uomo libero, senza imposizioni e senza orari. Ho lavorato sodo e ci sapevo fare. Ho vissuto con l'orgoglio di saper fare da solo e di non dover elemosinare nulla da nessuno. Nemmeno il lavoro.

Ho saputo capire gli inglesi e rispettarli. Loro mi hanno capito e si sono lasciati «mungere» dignitosamente, come piace a loro: con l'imperturbabile sorriso sulle labbra e con tanta cordialità in fondo al cuore. L'importante è saper toccare quel fondo. Modestamente, sono un esperto del settore, perché sono sempre stato sereno e mi accontentavo della mia vita e del mio guadagno. Non «tritavo il nulla», come fanno tanti parolai d'oggi, e cantavo ogni volta che potevo. Magari canzoni religiose o motivetti allegri del Tirolo. Credo di aver sprizzato la gioia di lavorare e di vivere. Che per me è stata la stessa cosa. E lo è ancora, perché io continuo a lavorare e a cantare.

Mister Chint, il mio assistente inglese, voleva questo segreto. Io gli ho suggerito di sposarsi in chiesa e di cantare forte il suo amore, di battezzare i suoi figli e di provare a credere che sono proprio un dono di Dio, di chiamarmi *uncle*, di andare d'accordo con gli altri moleta, perché la professione è una cosa troppo seria per non essere trattata da galantuomini. Anche quando ci si spartisce con garbo e rispetto le aree di lavoro o si organizza il consorzio di mutuo soccorso fra i moleta, per fronteggiare le avversità. Se dite che io sono soltanto un artigiano, avete molta strada da percorrere per sapere che cos'è un uomo. Perché io vi presento il mio biglietto da visita: sono il diplomatico Pasini Lorenzo, 9 Dalryple, Bristol.

DALL'ALTOPIANO DI ASIAGO
AL SUD DELL'AUSTRALIA

Ci sono momenti della vita che non si possono raccontare senza soffrirne. Io ho fatto di peggio: li ho scritti. E scrivendo è stato come vedere un film con tante immagini tetre e poche immagini felici.

C'è un inizio ma non c'è una fine nella mia storia, perché essa scorre ancora lontana dall'Italia. Sono un emigrato. Dall'anno 1959. Ricordo bene il viaggio in nave verso l'Australia. Avevo trascorso il Natale '58 con i miei, e sull'Altopiano c'era freddo e molta neve. Asiago, mentre la macchina partiva verso Genova, era adagiata in una conca bianca. La neve soffice pareva un immenso velo da sposa.

Il commiato era stato penoso. Ero triste, infinitamente triste. Mio fratello Toni, che ci vide salpare, era affranto. Io, per dare coraggio a lui e a me, gridavo: «Ci rivedremo, non avere paura». Invece, quando ritornai dopo diciotto anni, non rividi più mia madre e mia sorella Liliana.

Sulla nave, con operai, contadini e reduci da una visita in Italia, c'era anche un gruppo di danzatori brasiliani, emigranti in nome dell'arte. Ai miei occhi quella moltitudine di volti appariva assolutamente nuova e viva. Nello strazio della mia mente rappresentava la mia futura vita, animatissima, diversa da quella della mia adolescenza solitaria, monotona, riflessiva. In Australia non sarei stato mai più un figlio del Nord.

Sul ponte di poppa i danzatori provavano tutti i giorni il loro programma di musiche e balli dell'A-mazzonia. Percuotevano i tamburi con le mani, ora chiuse ora aperte, talvolta con le punte delle dita o con le unghie. I suoni erano eccitanti e le siluette esili ed eleganti piroettavano come scimmie.

Anni dopo, vedendo danzare gli aborigeni australiani durante le loro feste tribali, pensavo all'attitudine e alla sensibilità dei neri ai balli, ai rumori, al canto. Gli aborigeni di certe tribù del centro danzano facendo solo rumore col battito delle mani sulle cosce; altri accompagnano i movimenti percuotendo pezzi di legno, o soffiando dentro il ronzante *didjeridù*, che è un tubo lungo di bambù. Spesso i danzatori si agghindano con fasce colorate e si legano alle gambe e alle braccia foglie di eucaliptus per imitare il rumore delle penne dell'emù, simbolo dell'Australia.

Fremantle dopo Port Said, dove gli indigeni mi avevano raggirato vendendomi una scatola di datteri quasi vuota, mi apparve una cittadina di mare elegante, ma non pretenziosa. Era il primo genuino assaggio dell'Australia. Dalla radiolina del chiosco presso il porto, usciva melodiosa la voce di Gigli che cantava l'*Ave Maria* di Gounod. Segno beneaugurante, pensai. Ripresi quindi la navigazione per Melbourne, che mi apparve appisolata nella quiete domenicale sotto un cielo di nuvole bianche. La notte, in treno da Melbourne, dormii poco. Ebbi caldo e freddo a seconda che i pensieri mi rilassavano o mi tendevano. Mi pareva eterna, quella notte. E il giorno venne a poco a poco, finché vidi le terre del Sud verso le quali ero diretto.

Non mi stancavo di guardarle. Scivolavano davanti al finestrino fattorie solitarie come le malghe delle mie montagne, e con le vacche, i vitellini e con le pecore a centinaia che brucavano nelle radure. Non c'erano stalle. Qui il bestiame rimane all'aperto ogni giorno e notte dell'anno, e nessuno lo custodisce. Anche gli accoppiamenti e le nascite sono naturali, senza nessuna assistenza da parte dei *jackaroo*. I boschi di piante native, specie eucalipti, erano differenti dalle foreste di abeti dell'Altopiano: erano boschi irregolari, un po' radi, con vegetazione bassa di piante stecchite, vecchie, perennemente assetate.

Finalmente apparve Adelaide, la «grande dama» dell'Australia del Sud. Alla stazione c'erano i parenti ad accogliermi, a chiedermi un monte di cose. Il viaggio era finito e sentivo un rigurgito di felicità salirmi dal cuore, subito placato dall'ansia di sapere come avrei decifrato quelle parole inglesi nelle scritte e quelle più difficili per un colloquio di lavoro.

Il primo colloquio, per modo di dire perché sapevo spiccicare soltanto monosillabi, avvenne dopo una settimana di chiacchiere fitte con i conoscenti. «*Do you speak English?*», chiese il boss della grande fabbrica. «No», rispose per me mio cognato, dopo avermi visto con la bocca aperta senza dire verbo.

«Che lavoro fa? Può progettare ponti, ferrovie, strade, grattacieli?». Nientemeno. Mi aspettavo che dicesse: «Può costruire il mondo?» come un dio mitico. Tutto per mettermi nella condizione di dire no a ogni domanda e liquidarmi in modo elegante. Passò un mese di contatti e colloqui, e fu un calvario. Vedevo lo spettro della disoccupazione per chissà quanto tempo. Così decisi di non guardare tanto per il sottile e di non disdegnare nemmeno il lavoro più umile quale, per esempio, la pulitura dei treni e delle stazioni, oppure degli automezzi pubblici o dei convogli, e delle relative rimesse delle aziende australiane di trasporti. Avrei accettato di lavorare anche come facchino in ospedali o alberghi, o come cameriere nei ristoranti.

Ero un fallito? No, non mi sentivo tale perché, più erano le difficoltà, più mi impegnavo per trovare una soluzione. Si trattava di aguzzare l'ingegno, di chiedere, di insistere. Se uno vuole, può anche diventare milionario, mi dicevo. Anche in dollari.

E il posto venne: presso una fabbrica di macchine agricole, in qualità di operatore. Dovevo tornire, fresare, spianare, forare, tagliare un numero minimo di pezzi ogni giorno per avere diritto alla paga base, che era di 14 sterline settimanali. Ogni pezzo in più mi sarebbe stato retribuito extra. La prima settimana fu faticosissima, perché ero costretto a lavorare sempre in piedi. Mi guadagnai la paga base. Alle sette di sera ero a letto, esausto, chiedendo al sonno di ricaricarmi di energie per il giorno dopo.

Nella seconda settimana le cose andarono meglio e lavorai più spedito. Così feci due pezzi in più e dentro la busta paga trovai 2 sterline extra.

Un mattino della terza settimana venne al mio banco il conta-tempo e dopo un accurato controllo stabilì che il minimo numero di pezzi per avere diritto alla paga base doveva essere aumentato di due. Ciò significava ritornare al salario di 14 sterline, lavorando di più. Ero sfiduciato e mi chiesi se il datore di lavoro conoscesse la *Rerum Novarum* di Leone XIII e se non fosse moralmente condannabile. Ma le *Unions* lasciavano perpetrare simili ingiustizie? Restai in quella fabbrica tre mesi, senza più percepire alcuna sterlina extra. Cambiai per una fabbrica di televisori, dove mi fu affidato il compito di allineare i vari stadi, audio, video e time-base, degli apparecchi provenienti dalla linea di produzione.

Avevo migliorato la mia posizione lavorativa note-volmente. Ora dovevo usare il cervello, invece di braccia, piedi e schiena. La paga era ottima. Lavoravo di grande lena e, grazie alla mia preparazione tecnica, ricevetti ben presto l'incarico di progettare lo stadio audio di un nuovo apparecchio televisivo portatile.

Ci lavorai per più mesi, assieme ad altri collabora-tori, e l'apparecchio fu pronto finalmente per la pro-duzione. Ma sopraggiunse il collasso economico della ditta e così fui costretto a cercare lavoro in un'altra fabbrica di televisori. Dopo un breve periodo di «luna di miele», il nuovo padrone impartì l'ordine di non parlare durante il lavoro, neanche per scambiare idee o consigli; e di usare i servizi solo due volte al giorno. Non sarebbero stati tollerati ritardi nella produzione. Dopo qualche giorno di gestione tirannica, chiesi al padrone, un olandese, se avesse fatto il tirocinio pres-so qualche «campo di prigionia» in Indonesia o in Germania durante l'ultima guerra. Reagì, ma io incal-zai dicendogli che avevo fatto la guerra partigiana, per far trionfare i principi di giustizia e di tolleranza, e non avevo intenzione di sopportarlo oltre. Andasse al-la malora, anche subito.

Volevo cambiare attività. Perché non provare con gli ascensori? Essi costituivano un'altra applicazione dell'elettronica. Ottenni un bel posto presso una ditta specializzata. I controlli automatici dei *lifts* parevano robot, pronti a eseguire ogni comando con intelligen-za, docili, pazienti. Ebbi con gli ascensori una paren-tesi di «quasi affetto». La direzione della ditta si spiacque, quando dissi che era tempo di cimentarmi con altri problemi. Pensavo alla scialba illuminazione dei palazzi pubblici, dei teatri, delle sale da concerto della città. Perché non ravvivarle con più gusto, e so-prattutto con rigore scientifico? Sapevo già come avrei illuminato quegli ambienti, rendendoli piacevoli con giochi di luci bianche e colorate. Immaginavo di poter creare un mondo nuovo nelle abitazioni e negli uffici. Magari copiare il giorno allegro e caldo.

Così, grazie anche ai buoni uffici di un padrone cui avevo ispirato fiducia, ottenni l'incarico di consulente per l'illuminazione presso un ufficio statale. Da molti anni tratto di lampade ad alogeni, a vapori di mercurio, fluorescenti, a vapori di sodio ad alta e bassa pressione. L'illuminazione oggi è una vera scienza, sempre più sofisticata, più perfetta. Ebbi vari premi dalla «Illuminating Engineering Society» e molti grattacieli e palazzi oggi scintillano di luci. Non sono più grigi e scialbi.

Ho un tetto nell'Australia del Sud, un altro a Bassano. Il mio cuore è in tutti e due gli emisferi. Nel mio giardino di Adelaide c'è un piccolo faggio, che mi ricorda il luogo natio. Non so dove chiuderò gli occhi. La mia vita continua, attiva, qualche volta movimentata. E mi chiedo per quanti anni ancora resterò in Australia e se potrò ritornare in Italia per sempre. Starò qui ancora per anni. Ma quanti? Rivedrò l'Italia un giorno, magari per sempre?

Ecco, amici, come s'è inchiodato un uomo del Nord in una terra del Sud che lo ha adottato oltre trent'anni fa.

UNA STORIA COMICA
SOLO IN APPARENZA

Le storie degli emigranti non sono sempre tristi: qualcuna è allegra, qualche altra strappa il sorriso, magari un po' amaro come nelle avventure di Charlie Chaplin. Se una persona vive tranquilla, mantiene onestamente la famiglia, e poi le capita di doversene andare, tutti dicono: «*Requiem æternam...*». Se invece ne combina di tutti i colori, lavora poco, vive di espedienti, è molto più facile che rimanga nel ricordo della gente. Così è la vita!

Rino Cussor, cioè «cursore» (che nel dialetto delle mie montagne significa messo comunale), apparteneva a questa seconda categoria d'uomini. Era un tipo sveglio, che scandiva le parole come se fossero sentenze, ma aveva una profonda antipatia per il lavoro. Quel poco che doveva fare, se poteva, lo faceva fare agli altri. In paese, il lavoro di portacarte gli era venuto in uggia e così, nel 1920, fece le valige e se ne andò in America con la speranza di arricchirsi presto e con modesto impegno. Destinazione: Minnesota. Partì con Angelo, paesano e amico. La cittadina, dove gli avevano indicato di andare, era nera: polvere di carbone dappertutto. Gli uomini, provvisti di elmetto e lanterna, si muovevano come formiche; ogni tanto sparivano sotto terra.

«Proprio in un bel posto siamo capitati, Angelo. Se Gesù non ci aiuta, qui moriremo presto, te lo garantisco io».

Certo, il lavoro di piccone e pala non era un ballar di carnevale. E spingere i carri di carbone, come somari, e scaricarli, in mezzo a quelle nuvole di polvere, era una fatica di Sisifo. Gli occhi e le labbra, quando si inumidivano e si aprivano per parlare, erano i soli segni colorati in quei visi neri e cotti dalla miniera. Quel calvario si protraeva già da qualche settimana, quando una sera Rino si piazza davanti ad Angelo per dirgli con voce rotta: «Non posso più andare avanti così. Prendi l'accetta e tagliami un paio di dita».

L'altro guarda il compare, che intanto aveva messo la mano sul ceppo, e non sa se Rino è serio o faceto: «Cosa ti passa per la testa, Rino?».

«Io non ho il coraggio di tagliarmi le dita da solo. Tagliamele tu. Mi prendo la pensione e sono a posto fin che vivo. Questa è una vita da cani».

«Io tagliarti le dita? Non ho mai fatto il macellaio. Solo alle galline ho tagliato qualche volta le zampe prima che mia madre le mettesse in pentola... Domani ti aiuterò a scavare, così ti sentirai sollevato».

Per chi mira a fare l'arte di Michelaccio, c'è sempre una scappatoia. Rino, con un po' di astuzia, in capo a qualche settimana riuscì a farsi promuovere sorvegliante. Meno fatica e più soldi. Nel giro di qualche anno, aiutandosi anche con il contrabbando di alcol, fece su un bel gruzzoletto di dollari. Tempo giusto per tornare al paese, in Italia, e... riposarsi.

Veramente al paese voleva impiegare e aumentare i soldi. Così si mise a giocare a carte al caffè o nelle case degli amici, nottambuli come lui. Era astuto e abile, è vero, ma gli altri erano ancora più abili. Non passò tanto tempo che gli «angeli custodi» del tavolo verde erano riusciti a liberarlo dal pensiero di investire i dollari americani.

Che fare? Con le tasche vuote come qualche anno prima, mise insieme pochi stracci e partì nuovamente. Per l'Australia, questa volta. Gli avevano detto che l'Australia era un paese vastissimo, nuovo, pieno di risorse. E soprattutto che la gente prendeva il lavoro alla leggera, indugiava lunghe ore nei *pubs*, era appassionata di football, tennis, nuoto: tanto sport, insomma, e poco lavoro. Le paghe non erano male. Avanti con l'Australia, dunque. La ragazza, una bella morettina, con cui aveva filato per qualche mese, era alla stazione, col fazzoletto sugli occhi. «Piangi pure – la consolava Rino – ma non abbandonare mai la speranza. Ti chiamerò laggiù, anzi, verrò io a prenderti tra qualche anno. Tu comportati bene, e non finirai come la Butterfly. Ciao».

In Australia si mise a vendere olio per macchine; era il *boom* della motorizzazione e non tardò a fare un po' di fortuna. Di giorno, negli incontri con i clienti ai quali raccontava con flemma dell'America e del carbone, riusciva a far passare il tempo abbastanza piacevolmente. Era alla sera invece, dopo la chiusura dei *pubs* che gli venivano tutte le malinconie del mondo. I pensieri correvano, come nuvole primaverili, alla morettina che era ancora in attesa di uno scritto. Una sera, su un foglietto rosa le scrisse di partire. Ecco la risposta: «Mi sono imbarcata, felice come una pasqua. Aspettami al porto di Melbourne. Baci».

Accidenti che svelta. Rino si impensierì. Il desiderio di sposarsi gli scemava ogni giorno. A Melbourne non aveva un posto dove alloggiare. Possedeva, è vero, un bel gruzzolo di sterline, ma voleva usarle per tornare al suo paese. Come don Abbondio, titubava.

Ma doveva decidere. All'indomani prese un biglietto e saltò sulla prima nave in partenza per Genova. Che viltà. Le due navi, la sua e quella della morettina, si saranno certo incrociate in qualche punto dell'oceano; ma non certo le loro vite. Forse, per la ragazza, è stata una fortuna.

Sono sempre i pavidi che, per esorcizzare la paura, parlano di coraggio. Rino andava dicendo in paese che nessuno aveva fegato come lui. A chi gli domandava perché, faceva vedere di nascosto la moglie novella. Di femminile aveva solo il nome. Si infarinava il viso come un clown, certo per nascondere qualche difetto. Se avesse fatto il giro delle case alla vigilia della Befana, i bambini sarebbero rimasti quieti per tutto l'anno.

L'aveva incontrata alla stazione del paese, dove si era messo a fare il facchino. Proveniva da un centro della Lombardia. Era arrivata lassù, gli spiegò, perché aveva bisogno d'aria pura. Parlava con un vocione, ma con gentilezza. Camminava dondolando, come il battocchio della campana di San Matío.

La febbre del Minnesota faceva vibrare Rino ogni volta che saliva in montagna. Aveva gli stessi sintomi del rabdomante, diceva: la presenza dell'oro nero, lungo i rigagnoli o nelle depressioni del terreno, diveniva qualche volta esaltante. Il suo pensiero, giorno e notte, perforava ed estraeva. Sì, quella vena scura nel terreno doveva essere lignite. Per essere sicuri, però, bisognava fare come la talpa: scavare sempre più a fondo. In segreto, chiede a quattro robusti giovanotti del paese di dargli una mano.

«Volentieri, ma quant'è la paga?».

«Ragazzi, quello che estraiamo è di tutti. Siamo d'accordo?».

Dopo un paio di settimane di lavoro i quattro giovanotti, sotto l'occhio vigile di Rino comodamente seduto, scavarono una voragine di dieci metri. Poiché non appariva la minima traccia di materiale fossile, dissero che non avrebbero continuato. L'ultima sera acquistarono alla rivendita venti chili di carbone e la mattina dopo, alle sette, prepararono la commedia. Alle 9 arriva Rino e i quattro cominciano a mandare su con le carrucole il materiale di scavo. A un tratto uno dal fondo grida: «Rino, forse abbiamo preso la vena. Mi pare carbone di quello buono».

Rino è tutto orecchi e, per la prima volta, è agitato. Arriva alla superficie un secchio pieno di carbone misto a detriti. Rino palpa il carbone con sguardo allucinato, estasiato, e poi si mette a saltare come un capriolo, gridando: «Ve l'ho detto che c'era. Non potevo sbagliare. Adesso sì che facciamo i soldi. Staccate il secchio che vengo giù».

Silenzio di tomba per alcuni minuti; poi grida e imprecazioni. Quando comprese di essere stato beffato, Rino fece volare pale, picconi, mazze, secchi.

Dopo qualche giorno, incontrando il quartetto disse: «Forse, avevate ragione a prendermi in giro, ma chissà quanto mi toccherà tribolare adesso».

La moglie era bene in salute, anche se appariva sempre più imbottita di magliette, giacche, cappotti. Aveva alcuni gioielli da vendere: tanto non sarebbero stati i diamanti a farla diventare bella. Rino riteneva più vantaggioso avere soldi in tasca e tenersi la moglie, anche se quando passeggiava con lei per le vie del paese si sentiva ridicolo. Morirono prima lei, poi lui, quasi si sostenessero l'uno con l'altra nel cammino della loro non facile esistenza.

Rino giocò molto e lavorò poco. Ma non imbrogliò nessuno. Lo ricordano ancora in paese. Anche se, parlando di lui, ridono.

FINALMENTE HO CAPITO CHE ERA FINITA BENE

La storia di Pietro e Giuseppe Vaiente, due fratelli di Verona emigrati dopo l'ultima guerra, sembra una fiaba di Natale. Una di quelle con il lieto fine, che si ascoltano dinanzi al ceppo scoppiettante, col fiato sospeso finché il bene trionfa e il male viene sconfitto. Eppure è una storia vera. Narra di due fratelli, che affrontano insieme lunghi anni di emigrazione e alla fine si lasciano, prendendo ognuno strade diverse: Pietro torna in Italia e Giuseppe resta in Australia.

A un certo punto Giuseppe, che è il più vecchio, sta per morire di leucemia lontano dalla patria. Ha bisogno di un urgente trapianto di midollo osseo per sopravvivere. E Pietro, che dopo vent'anni è tornato in patria e vive nella città natale di Verona con la sua famiglia e un nuovo lavoro, lascia tutto e vola in Australia al capezzale di Giuseppe. Gli offre il suo midollo osseo e rischia la propria vita in una difficile operazione. Li lega un affetto speciale: hanno condiviso insieme tanti momenti di fatica, di duro lavoro, di nostalgia e sofferenza, che non possono restare insensibili uno all'altro. Sempre si sono aiutati, non possono non farlo nel momento del grande bisogno.

E come in una bella fiaba, la tenace solidarietà fraterna ha il sopravvento sulla morte, sulla paura, sulla disperazione. E Giuseppe guarisce... Oggi, a quattro anni dall'operazione, i due fratelli stanno bene tutti e due, e anche se vivono lontani migliaia di chilometri: Pietro è a Verona e Giuseppe a Mount-Isa nel Queensland, in Australia, continuano a essere vicini.

Ho ascoltato questa bella storia dalla viva voce di Pietro, che è padre di due figli rispettivamente di venti e diciotto anni e gestisce una tabaccheria nel centro di Verona. Racconta lentamente, fermandosi ogni tanto per ripetere un nome e ricordare una data. «Bisogna partire da lontano per capire la nostra storia – afferma sfogliando un vecchio album di foto. – Nel 1946, quando mio padre tornò dalla Germania ammalato e disoccupato, a casa eravamo nove fratelli da sfamare. Giuseppe era il più vecchio e io il quarto. Nel cuore della notte, mentre tutti dormivano, mio padre ci svegliava: noi due eravamo i maschi più grandi e ci portava con sé nei campi dei vicini a rubare. Una manciata di frumento, un po' di riso, qualche frutto. Se avevamo la carriola, abbattevamo un albero e lo trascinavamo fino a casa per scaldarci. Era l'unico modo, per noi che non possedevamo niente, di sopravvivere alla miseria e sfamarci».

Fu una manna del cielo, che anche in famiglia Vaiente arrivasse l'emigrazione. Richiamato da alcuni parenti che vivevano in Australia, partì dapprima Giuseppe, nel 1949, a vent'anni. L'anno successivo partì Pietro, che ne aveva soltanto quindici. «Mio padre mi accompagnò fino a Genova per farmi imbarcare, solo sulla *Ugolino Vivaldi*. Qualcuno dei parenti mi aveva regalato 10 mila lire, per affrontare meglio l'avventura e io mi sentivo un uomo. Al momento dei saluti, però, il padre si commosse e dovette confessarmi che non aveva neppure un soldo per tornare a casa. Gli detti 5 mila lire e partii per l'Australia con i sogni dei miei 15 anni e le 5 mila lire rimaste».

Si dice che la necessità aguzza l'ingegno e quindi Pietro, che aveva sempre una fame insaziata, durante i 45 giorni di traversata pensò bene di aiutare i camerieri della nave per mangiare a tavola con loro e riempirsi lo stomaco a sazietà. Nonostante dormisse in uno stanzone con altre cento persone, quel viaggio fu una vera pacchia. Riuscì ad ingrassare di ben cinque chili.

Ad Homehill, nel Queensland, Pietro e Giuseppe lavorano insieme, come tagliatori di canna da zucchero nella piantagione degli zii. Finito quel lavoro, accettano tutto come una benedizione: diventano braccianti, manovali, operai e muratori, a seconda dell'occasione. Ogni mese la loro paga viene rigorosamente divisa a metà: una parte è trattenuta e l'altra viene inviata alla famiglia in Italia. Dopo anni di risparmi riescono a far costruire una bella casa in muratura per i genitori, nella natia Verona.

Il sogno di Pietro allarga i propri confini: vuole diventare costruttore di case. Nel 1955, con una vecchia auto tagliata a metà e due tavole al posto dei sedili, costruisce il primo furgone, che gli servirà per trasportare materiale da costruzione. Al sabato e alla domenica si esercita: prima costruisce un solaio per gli amici, poi rattoppa un muro e aspetta. Quantunque indebitato fino al collo, riesce a comprare un camioncino Chevrolet che trasporta 20 quintali. Si sente un re. Comincia a costruire case vere per gli amici e qualche opera comunale. Ma i debiti sono molti e le spese anche. Pietro deve cedere e vendere tutto a Giuseppe, che naturalmente lo aiuta e gli presta i soldi per rifarsi.

Fu quando a Bahon, nella costa del Pacifico, due violenti cicloni distruggono interi quartieri che Pietro ricomincia il suo lavoro e riacquista il suo camion. Ripara tetti sfondati, ricostruisce strade e case finché, con l'arrivo in Australia del fratello Bruno, i tre Vaiente decidono di lavorare insieme.

A Mount-Isa, in una zona desertica e semiabitata del Queensland dove esistono solo miniere di rame e carbone, costruiscono una mensa per i minatori e la gestiscono in società. Un buon lavoro. Alcuni anni dopo sarà Giuseppe a gestirlo da solo, con l'aiuto della moglie e dei tre figli. Intanto è passato a guidare tassì e Pietro, che nel '59 fa un viaggio in Italia, conosce Mariella, la sposa e ritorna in Australia a fare il costruttore. Nascono Gianna e Paolo e nel '70, tutti insieme, decidono di rientrare a Verona.

Giuseppe, che nel frattempo ha ristrutturato la sua mensa trasformandola in un bellissimo ristorante-hotel dal nome nostalgico: «Verona», scopre di avere la leucemia. Nell'agosto del 1980 telefona al fratello Pietro dal «St. Vincent's Hospital» di Sydney, dove è ricoverato da mesi in condizioni disperate. Lo prega di venire in Australia: la sua ultima speranza consiste in un trapianto di midollo osseo dal fratello, che ha il sangue compatibile con il suo.

Pietro, senza dire nulla alla moglie, parte l'indomani con un volo di fortuna e la domenica successiva è già al «St. Vincent's Hospital», per sottoporsi ai primi esami clinici. «Giuseppe era ridotto male – ricorda. – Malgrado mia sorella e la cognata Eliana mi avessero avvisato delle sue condizioni, quando lo vidi rimasi impressionato. Era diventato magrissimo, di un pallore cadaverico, con le mani chiazzate di rosso e di blu. Perdeva sangue di frequente, soprattutto dalle gengive».

Trascorse tuttavia un mese, prima che i medici parlassero di trapianto: le condizioni di Giuseppe erano allo stremo e per tenerlo in vita gli somministravano continue trasfusioni con il sangue del fratello sano. «Vivere là dentro – ricorda Pietro – era una vera tortura. Non avevo nulla, eppure mi esaminavano ogni giorno da capo a piedi, controllando il mio corpo in ogni fibra e in ogni reazione. Gli assistenti del chirurgo erano contrari all'operazione, perché avrei rischiato la vita per una persona ormai morente. Mia cognata non parlava, sfinita dalla preoccupazione, e mia sorella era diventata intrattabile. Che fare? Ogni giorno Giuseppe ripeteva come un ritornello: "Mi basterebbe vivere altri due anni, per pagare i debiti dell'albergo. Dopo trenta anni di fatiche non voglio lasciare debiti ai miei figli!". Non ne potevo più e a un tratto mi prese la paura: se non ce l'avessi fatta?».

Un mattino, disperato, andò dal chirurgo e gli dissi: «Sono pronto, perché non operate?». Il chirurgo lo guardò incredulo e volle spiegare di nuovo i rischi dell'operazione: «In fondo, – disse a Pietro – anche lei ha una moglie e due figli...».

La sera precedente il trapianto, tutti i medici dell'ospedale si recarono nella sua stanza. Speriamo che vada tutto bene, dissero. Quella notte, nonostante le rassicurazioni e le iniezioni calmanti, Pietro non riuscì a chiudere occhio. Quando, alle sette del mattino successivo, vennero gli infermieri a prenderlo per portarlo in sala operatoria, era ancora sveglio e irrigidito dalla tensione. «Mi risvegliai nel tardo pomeriggio, in camera mia – conclude. Avevo nove buchi nel costato: cinque davanti e quattro sulla schiena, grossi come nocciole. Mi avevano tolto due chili di midollo osseo. "È andato tutto bene – sussurrava una voce. – Anche suo fratello ha reagito". Allora capii che era finita bene».

UN RITORNO DOLOROSO

Erano a bordo già da alcune ore, ma si sentivano ancora smarriti e disorientati. La statua della libertà era lentamente scomparsa dall'orizzonte tra le brume del tramonto; l'oceano si era colorato di viola, poi si era fatto nero come la pece. Ora rifletteva le mille luci del potente transatlantico. A bordo si era sentito il segnale per la cena, ma Saro e Momina non avevano voglia di mangiare, quella sera. Erano storditi e intimiditi: storditi dal trambusto della partenza, intimiditi dal lusso di quella nave, che in sette giorni doveva portarli in Italia. Preferirono scendere nella cabina. Avevano portato con sé qualche provvista e mandarono giù svogliatamente un po' di pane e formaggio. Poi Momina recitò le preghiere, tirò fuori il camicione da notte di vecchia signorina e il pesante pigiama a grosse righe per il fratello. Si stesero sulle cuccette per la loro prima notte a bordo della nave.

Naturalmente dormirono pochissimo, quasi niente. E tutti e due fecero gli stessi identici pensieri. Ricordavano la partenza da Palermo, più di trent'anni prima, su una nave squallida, tanto diversa da questo modernissimo transatlantico. Saro era tornato dalla prima guerra mondiale, ma a Castellazzo non era riuscito a trovare un lavoro, neanche come reduce. Bisognava essere amici di qualcuno dei «don», dei personaggi che da sempre avevano comandato in paese. Ma Saro aveva sempre cercato di restare fuori da certe storie. Perché poi il favore bisognava ricambiarlo, si sa. Perciò lavoro niente. E così un giorno si era deciso. Aveva scritto a un paesano emigrato nel New Jersey ed era partito portando con sé la sorella. Umile, buona, silenziosa, Momina non era una bellezza, ma non era questo che teneva lontani i corteggiatori. È che erano poveri, e senza una dote era difficile che qualcuno pensasse a Momina. Così erano partiti.

Trent'anni in una fabbrica di scarpe negli States. Erano rimasti sempre insieme. All'inizio aveva lavorato anche Momina. Poi, passato il brutto momento della crisi del 1929, le cose erano andate meglio e la donna era potuta restare a casa, nel piccolo appartamento dove viveva col fratello. Anche Saro non si era sposato, per non lasciare sola la sorella rimasta «schietta», diceva lui. In realtà era troppo timido e impacciato per corteggiare una ragazza, quelle americane poi. E aveva sempre vissuto con la sorella...

Poche conoscenze, giusto qualche visita ai compaesani che abitavano nello stesso rione. In pratica non si erano mai mossi dal posto. Non avevano imparato l'americano: non era necessario, visto che conoscevano solo siciliani. Avevano sempre mangiato le stesse cose, come al paese, perché si trovava tutto nel New Jersey, come in Sicilia: gli spaghetti, il caciocavallo, lo stoccafisso... Trent'anni di solitudine silenziosa in un mondo caotico e pulsante. Non l'avevano conosciuto, a loro bastava la loro casa, sentirsi insieme. Bastava uno sguardo per capirsi, senza bisogno di parlare.

E ora tornavano. Per Saro era arrivato il momento della pensione, e avevano anche qualche risparmio.

Perché restare in America, dove non avevano nessuno? Neanche a Castellazzo; ma lì erano nati, lì c'era il cimitero con le tombe dei genitori, lì volevano riposare, quando fosse arrivato il momento.

Gli inizi non furono facili. Erano stati lontani per troppo tempo, non conoscevano più nessuno. Ma presto trovarono una piccola casa, in una stradina nella parte vecchia del paese. Momina poté sistemare sul davanzale le sue piante di basilico. La chiesa matrice era a due passi, per la prima messa. Per il resto non usciva quasi mai, non c'era abituata e non ne sentiva la necessità. Solo per la festa del paese, nel mese di agosto, volle che Saro l'accompagnasse a vedere la corsa dei cavalli. Si spargeva sabbia sul lastricato di pietra chiara del corso in salita, e i ragazzi del paese si scatenavano senza sella, tra il vociare assordante dei paesani. Gli zoccoli dei cavalli facevano sprizzare scintille dai lastroni di pietra. Poi seguiva la processione, con la statua del patrono ricoperta di banconote, lire e dollari, gli enormi ceri che sgocciolavano sulle giacche e sulle coppole degli uomini, la banda di Calatafimi, i venditori di ceci arrostiti...

Infine Saro ritrovò un amico. Veramente non erano stati proprio amici, in passato: solo compagni di scuola e poi commilitoni nello stesso reggimento sul Carso, dalle parti del monte San Michele. Battista era stato ferito sul San Michele, e ora gli mancavano due dita della mano destra. Anche Battista era tornato in paese da poco, da una città del Nord, con la moglie. I figli, sposati, si erano sistemati altrove, chi qua, chi là. E dopo una vita di lavoro Battista si godeva il suo modesto benessere. Aveva una casa in paese, ma passava tutta la giornata, all'uso siciliano, nel «magazzino» in campagna: una passeggiata di mezz'ora, se si andava a piedi. Saro e Battista, tutti e due con i capelli bianchi, un po' alla volta ebbero l'impressione di essere sempre stati amici, anche se lo erano diventati soltanto allora.

A poco a poco le visite pomeridiane di Saro al magazzino di Battista si fecero più frequenti, alla fine giornaliere. Il magazzino era in realtà una costruzione grande come una chiesa: in un angolo il forno, dove una volta alla settimana si faceva il pane; lungo una parete le enormi botti di quercia; in fondo una piccola stanza con due letti, qualche santino alle pareti, sulla scansia due o tre foto e una vecchia pistola a tamburo. Fuori, dopo il pollaio e la stalla per l'asino, «u sceccu», gli alberi da frutto, pere, fichi, nocipesche, la «novara» per i meloni e qualche migliaio di viti. Basse a terra, all'uso siciliano, i tralci sorretti da due o tre canne. Tra i filari la terra era rossa e asciutta, e bisognava romperla con il pesante zappone.

I due amici si sedevano sul muretto davanti al magazzino e scambiavano ogni tanto qualche parola. Non erano ciarlieri e non c'era bisogno di parlare, in fondo. Battista tagliava a metà i fichi, inseriva tra le due metà una mandorla e le univa in grandi festoni. Una volta disseccati dal sole li avrebbe spediti ai figli, in continente, insieme all'olio, alla pasta, alle «cose dduci» fatte dalle monache di Vita. Una specialità.

Calava lentamente la sera, al largo si accendevano le lampare delle barche da pesca. Qualche volta Saro si fermava a cena, la moglie di Battista era sveltissima a tirare la sfoglia di pasta e a cuocere le lasagne. Un bicchiere di vino spillato dalla prima botte, una sigaretta e i due amici si separavano quando ormai era buio davanti al magazzino. A casa Saro trovava la sorella che recitava il rosario. Anche qui non occorrevano molte parole, ma il silenzio era carico di affetti. Era come una muta carezza.

Ma un giorno il postino portò a Saro una lettera. Non veniva dall'America, il francobollo era italiano. Tutta scritta a stampatello, senza firma. Saro capì subito, e non la fece nemmeno vedere a Momina. Chissà quanti soldi pensavano che avesse portato dal New Jersey. Ora chiedevano, da «amici» si capisce, una somma enorme. Sarebbe stato un peccato, se capitava qualcosa a Momina. Per questo un «amico» lo avvertiva: lui soldi ne aveva tanti. Ci pensasse bene, non c'era molto tempo.

Saro non ebbe bisogno di pensarci. I passaporti erano ancora validi e non c'era bagaglio da preparare. Momina non fece domande. Certo, qualcosa aveva capito, ma non era abituata a discutere le decisioni del fratello. Si intesero con una occhiata, quando fu il momento.

Amaro fu il distacco dall'amico Battista e dal suo magazzino dove si era sentito, per la prima volta dopo tanti anni, come nella sua casa paterna, come in famiglia, una vera famiglia. Anche Battista non fece domande. Era toccata anche a lui, da ragazzo. Aveva dovuto lasciare il paese, perché non era disposto a subire certe prepotenze e non era un violento, di quelli che si fanno giustizia da sé. I due amici si abbracciarono in silenzio, forse avevano un groppo alla gola, ma le parole furono parole qualunque. «Ci vedremo», si dissero. Ma sapevano che non si sarebbero incontrati mai più.

Quando Saro se ne andò, Battista lo accompagnò fino al cancello e lo guardò allontanarsi sulla trazzera. Lo salutò un'ultima volta con un cenno della mano, cui mancavano le due dita lasciate sul San Michele. La sera calava sul mare, al largo si accendevano le lampare, come ogni sera. La campagna era al buio, immersa nel canto dei grilli.

UNA MADONNA NERA
NELLA CATTEDRALE DI DARWIN

In Australia sono rari gli aborigeni che frequentano le chiese. Solo nella cattedrale di Darwin, dedicata a Santa Maria Stella del mare, ne abbiamo trovato un buon numero, genuflessi e oranti. Erano aborigeni della tribù Tiwi, originari delle isole Bathurst e Melville. Gli indigeni della tribù Larakia, che popolano l'Arnhem Land, sono erranti, senza capi, più restii a stare con gli europei. E così si spiega la loro assenza dalle chiese.

Le storie del *Dreamtime*, il periodo della genesi e dell'inizio del tempo, raccontano di eroi-spiriti che popolavano le immense pianure del Nord, dove erano soliti assopirsi dopo ogni periodo creativo. Quando il processo del *Dreamtime* ebbe fine, alcuni di quegli spiriti salirono al cielo, altri si immersero nelle acque delle sorgenti o scomparvero negli antri della terra. I segni della loro esistenza terrena sono rappresentati dagli astri del cielo, dalle caverne, dai fiumi, dalle colline, dalle cavità rupestri. Ma prima della loro scomparsa suscitarono la vita; impressero negli uomini i principi della legge naturale; insegnarono loro a fare il fuoco, a sostentarsi con la caccia, a nutrirsi con i frutti della terra.

Nella credenza degli aborigeni ogni creatura ha origini mitiche nelle primitive forme di vita. Niente muore, tutto rinasce sotto sembianze diverse. Il passato, insomma, è strettamente legato al presente e gli eroi-spiriti sono in ogni luogo. Non solo nelle chiese dei bianchi, ma in tutto l'universo. I nostri missionari devono aver fatto uno sforzo immenso per inculcare il vangelo nella mente e nel cuore degli aborigeni. E non è che ancora ci siano riusciti del tutto. La storia della chiesa cattolica nel Territorio del Nord è un susseguirsi di successi e sconfitte. Inizia nel marzo 1846, protagonista un prete trentino, pieno di coraggio e di fede: don Angelo Confalonieri. Non si sa come sia arrivato in Australia. È certo che non disdegnava l'avventura per il suo Dio. In quel tempo non c'erano strade, che attraversassero l'immenso deserto: tremila chilometri di sabbie rosse, e raggiunsero i centri appena sorti lungo la costa meridionale. Viaggiare via terra era impossibile. Solo circumnavigando si poteva raggiungere il Top End, la punta terminale Nord.

Don Angelo Confalonieri scelse per il suo viaggio un battello da carico inglese in partenza da Perth e diretto a Port Essington, nella penisola di Cobourg. Lo accompagnavano due catechisti irlandesi: James Fagan e Nicholas Hogan. Don Angelo era pronto a sopportare ogni dolore per la sua missione, e poi aveva il crocifisso sul petto che lo rincuorava.

La navigazione parve calma agli inizi; poi diventò agitata. Verso il Mare dei Coralli, il battello comincia a sussultare sotto la furia dei monsoni. Mentre la prua fende lo Stretto di Torres, che divide l'Australia dal territorio di Papua e dalla Nuova Guinea, una valanga di acqua capovolge il vascello, catapultando in mare carico e uomini. Una tragedia, dalla quale si salvano solo il capitano McKenzie e don Angelo. Dopo molte ore, aggrappati a una zattera, sono raccolti da una nave di passaggio e sbarcati a Port Essington. Le cronache narrano che i sopravvissuti erano esausti e che ci volle un certo tempo per rimetterli in sesto.

Quando don Angelo inizia la sua missione, si accorge che l'esigua colonia inglese era in condizioni fisiche disperate. Gli effetti del clima umido: 90-95 per cento di umidità, e del caldo: 30-35 gradi tutto l'anno, l'avevano decimata. I sopravvissuti erano ridotti a larve. Don Angelo aiuta quegli infelici come può e cerca di avvicinare gli aborigeni per parlare del vangelo e soccorrerli nel bisogno.

Ma la Parola stenta a penetrare nell'animo degli indigeni dai capelli neri, folti e arruffati, dalle braccia e gambe magrissime. Essi credono nella loro genesi: il *Dreamtime*, e concedono rispetto totale solo agli eroi-spiriti della loro tradizione.

Don Angelo li capisce e rivela la sua pietà cristiana stando tra loro, curando gli ammalati, lavorando al loro fianco, soffrendo. A poco a poco la sua dedizione fa breccia e qualcuno inizia a collaborare. Ma quanta fatica! I disagi di un'esistenza primitiva, il lavoro estenuante e l'afa stavano minando la salute del missionario, anima sola in mezzo a gente nomade, sperduta tra le immense distese di un deserto rosso e infuocato. La sua sola forza era il crocifisso cui chiedeva aiuto e ispirazione, dichiarandosi pronto a offrire la vita per la redenzione di un popolo derelitto. Dio l'ascoltò: don Angelo spirava il 9 giugno 1848. Il primo prete sepolto nel Territorio del Nord.

Si dice che il chicco di grano deve marcire prima di dare vita a una nuova spiga. Dovettero passare oltre venti anni, prima che un'altra missione, sotto la cura del vescovo benedettino spagnolo, monsignor Joseph Serra, lo stesso religioso che aveva stabilito la comunità di Nuova Norcia, nel Western Australia, seguisse le tracce di don Angelo Confalonieri. Nasceva così a Palmerston, l'attuale Darwin, un'altra «testa di ponte» evangelica. Era l'anno 1869. Ma le difficoltà erano ancora tante e tutto procedeva a rilento. Occorreva nuova linfa per ravvivare e potenziare l'opera di evangelizzazione. Su interessamento di papa Leone XIII, quattro gesuiti raggiunsero la missione nel 1882. Tuttavia non si era che all'inizio: gli aborigeni erano sempre nomadi e i bianchi, dediti all'alcol e all'oppio, esercitavano un'influenza nefasta su tutta la popolazione locale.

Dopo anni di continue tribolazioni, la missione decise di spostarsi nella zona del Daly River, 150 chilometri a sud-ovest di Darwin, le cui acque erano infestate da coccodrilli. Là furono seminati cereali e allevato bestiame. Finalmente il buon lavoro dei missionari veniva notato dagli aborigeni. Il 1897 sembrava un anno di buon raccolto, destinato a vincere la fame. Invece un'alluvione allagava l'intera pianura e il vento abbatteva quanto era stato costruito. Un disastro. Sopravvivere nell'inferno del Top End diventò impresa senza frutto e senza speranza, oltre che estremamente penosa. Nel 1902 i padri gesuiti abbandonarono Darwin, sconfitti.

Ma le risorse della fede sono tante: dalle delusioni nascono spesso nuove speranze. Il nuovo «attacco» cristiano al Northern Territory venne affidato questa volta ai missionari del Sacro Cuore, guidati da un giovane prete dell'Alsazia: monsignor Francies Xavier Gsell, consacrato vescovo nel 1938. Dal 1906 al 1949 si opera intensamente nell'Isola di Bathurst, ove vive una popolazione prevalentemente indigena, composta di circa mille anime; e si costruisce la chiesa di Darwin. La prima comunità è composta da filippini, pochi europei, cinesi e pochissimi aborigeni. Negli anni della guerra i fedeli aumentano e sono molti i soldati cattolici. La piccola chiesa non basta più. La nuova cattedrale, sorta sulla stessa zona della prima chiesa, venne consacrata il 20 agosto 1972 dal vescovo, J.P. O'Loughlin. Ha stile gotico, con una serie di archi parabolici proiettati verso il cielo. L'insieme riflette il carattere missionario della diocesi. Le stazioni della Via crucis, che adornano la navata centrale, sono state eseguite a Spilimbergo, in provincia di Udine, e sono un esempio di arte musiva veneziana. Nell'ottava stazione, in cui Gesù conforta le pie donne, la figura di centro rappresenta un'aborigena.

Ma il tratto più peculiare del tempio è un dipinto a olio della Madonna con Gesù Bambino, nelle sembianze di una donna e di un piccolo aborigeno. Le due figure vestono di bianco con gli orli delle tuniche tinti in rosso-mattone e ricami di tradizione locale. Il Bambino è seduto su una spalla della madre, al modo tipico delle madri indigene. Le aureole sono dipinte in oro, come le icone bizantine, bordate da autentici disegni tribali. Il sottofondo è una composizione astratta di richiamo totemico, caratteristico delle genti originarie del territorio del Nord, del Centro Australia e del Kimberleys. Sotto il quadro c'è una supplica, che recita: «Maria, madre di Dio, reca pace e armonia a tutte le genti del mondo. Qualunque sia la loro razza o colore, uniscile con legami d'amore, guidale a seguire la luce di Cristo, tuo Figlio. Così sia».

QUANDO LA VITA È ROMANZO

Stefano Stefani ebbe i natali nei primi anni del secolo a Sasso, nell'altopiano di Asiago, una terra ricca di laboriosità ma povera di lavoro. Fu costretto quindi a cercare altrove quello che la terra natia non poteva dargli. Il colosso automobilistico Fiat era allora ai suoi albori e Stefano tentò l'avventura fuori dai confini della sua regione, trasferendosi a Torino. Ma i guadagni erano scarsi e le esigenze familiari sempre crescenti. Perciò, quando sentì un cugino decantare miniere di carbone in Australia, senza rendersi conto dell'enorme distanza si imbarcò sul piroscafo *Re d'Italia* e salpò verso il nuovo continente. Era un battello da carico, ma accolse ugualmente una trentina di diseredati in cerca di fortuna.

Dopo oltre due mesi in mezzo alle acque dell'oceano, finalmente fu raggiunta la terra promessa. Ma il lavoro in miniera appariva incerto e il cugino piuttosto eccentrico. Stefano pensò bene di proseguire la strada da solo. Erano tempi grami, i datori di lavoro sceglievano gli operai secondo la costituzione fisica, mentre i sindacati avevano scarsa autorevolezza e spezzavano le loro prime lance.

Quando ebbe sentore che nelle fattorie del Sud Australia c'era bisogno di manodopera, Stefano passò il confine e trovò occupazione nella cittadina fluviale di Loxton. Ma dopo la prima settimana di lavoro fu messo bruscamente alla porta, per aver chiesto la sua remunerazione anziché attendere che il datore di lavoro avesse venduto la merce. Fortuna volle che un vicino imprenditore agrario avesse bisogno di un paio di braccia. Così rimase occupato per qualche mese. Recatosi a Melbourne, si destreggiò con lavori umilianti e mal pagati, fino a quando i soliti bene informati fantasticarono guadagni favolosi nella costruzione della ferrovia Adelaide-Darwin.

Difficile avere informazioni precise, ma il miraggio di un lavoro fu motivo sufficiente per esplorare il Nord del continente. Alleggeritosi di dieci sterline, quanto costava il viaggio via mare che si prolungò per oltre 200 chilometri, raggiunse Catherine dove realmente la rete ferroviaria era già in costruzione.

La vita di cantiere era molto faticosa, con lunghe ore di lavoro sotto il sole cocente del tropico e ritorno in tenda altrettanto carente. L'approvvigionamento era saltuario a causa delle rudimentali vie di comunicazione e delle piogge torrenziali, causate dai monsoni. L'acqua potabile incideva pesantemente sui guadagni, anche se usata con parsimonia certosina, poiché veniva portata a dorso di mulo e doveva essere pagata. La paga era salita a una sterlina al giorno, raddoppiata dopo uno sciopero, provocato da un gruppo di operai negligenti sul lavoro, quanto assidui delle osterie. Stefani si attirò le simpatie del direttore di cantiere, mettendo in pratica le nozioni di carpentiere apprese negli anni giovanili.

Intanto all'orizzonte economico mondiale apparivano i segni della depressione. Vennero meno gli stanziamenti governativi e Stefano si trovò di nuovo a lottare per l'esistenza quotidiana. Dopo la parentesi ferroviaria approdò a Sydney, ma purtroppo le possibilità d'impiego erano pressoché nulle. Una sera si imbatté nell'avventuroso direttore del cantiere ferroviario, di passaggio per Sydney, che gli offrì lavoro senza dare spiegazioni. Malgrado la precaria situazione, Stefano non volle affrontare incognite e lo pregò di scrivergli, quando avesse avuto qualche proposta seria e concreta.

Dopo qualche mese arrivò dalla Nuova Guinea una lettera, che gli offriva lavoro statale con una paga di quaranta sterline mensili e la possibilità di impiego per altre due persone. Sulle prime ci fu un certo entusiasmo, ma poi affiorarono i problemi. Non essendo cittadino del dominio britannico, Stefano non aveva libero accesso in Nuova Guinea. Pensò di aggirare l'ostacolo presentandosi come turista, ma questo implicava il biglietto di andata e ritorno, il cui costo si aggirava sulle 35 sterline: una somma da capogiro per le finanze del povero Stefano. Ma non si perse d'animo e, ottenuto un prestito da un compagno di pensione che chiese in cambio di partecipare alla spedizione, iniziò la sua avventura.

Il viaggio fu una pausa di riposo nella strenua lotta con un ambiente ostile e così diverso da quello in cui era cresciuto. Il paesaggio appariva inospitale e misterioso, specchio di una natura che sembrava aver esaurito le sue possibilità di fascino nella meravigliosa baia di Sydney. L'unica costruzione decente, che emergeva dalla fitta flora tropicale, era l'hotel cui si indirizzavano i viaggiatori in arrivo o in partenza.

La delusione di Stefano fu grande nell'apprendere che il suo datore di lavoro era molto conosciuto ma si trovava a centinaia di chilometri di distanza. Ma poi le cose volsero al meglio poiché il titolare dell'hotel, oltre alle spiegazioni, offrì anche un piccolo prestito e un passaggio su un minuscolo aereo, che doveva recarsi nella zona del lavoro. Tra sussulti e perdite di quota l'aereo, quasi miracolosamente, giunse a destinazione e Stefano poté unirsi alla piccola comunità nel cuore della Nuova Guinea. Il datore di lavoro tenne fede alle promesse, ma fu subito chiaro che l'appalto stradale era un pretesto per introdursi alla ricerca dell'oro.

Dopo qualche successo, tutti i cercatori privati vennero assorbiti dalla compagnia governativa «New Guinea Gold Fields Ltd» e molti sparirono. La paga salì a 50 sterline mensili e successivamente a 90.

Nella foresta Stefano si trovava a suo agio. Ebbe il compito di costruire abitazioni di legno per tutta la comunità. Ma seppe diventare amico dei nativi, ai quali recò grande aiuto.

Un attacco di malaria lo condusse quasi alla tomba. Approfittò quindi della convalescenza per trascorrere una vacanza in Italia, ma fece ben presto ritorno al suo lavoro. Nel 1938, per un tragico evento, perì la sua bambina. Per placare il dolore fece un altro viaggio in patria, ma quando tornò non era più lo stesso.

A quel tempo l'Italia era nel momento culminante della sua espansione coloniale. Nel 1939 Stefano fu richiamato alle armi e disciplinatamente rispose. Dalla tropicale isola oceanica venne inviato nelle brulle contrade abissine, mentre la guerra già infuriava in Europa. Dopo un breve soggiorno africano, fu congedato e, mentre l'Italia attendeva di affiancarsi alla Germania nel conflitto, sgaiattolò di nuovo agli antipodi. Ma quando il governo fascista decise di entrare in guerra, fu internato e quindi inviato in Australia.

Il periodo in campo di concentramento è ricco di esperienze. Il trattamento riservato ai prigionieri mutava a seconda delle vicende belliche: a una certa deferenza di fronte alle iniziali avanzate dell'Asse, fece riscontro un atteggiamento più duro, quando le sorti della guerra volsero al peggio. All'ombra dei cavalli di Frisia, Stefano divise lunghe e malinconiche giornate con un migliaio di connazionali, fra i quali ricorda il principe Del Drago, esempio di italianità e di umana solidarietà.

La scarsità di manodopera, determinata dalla mobilitazione per contenere l'avanzata delle forze giapponesi, costrinse le autorità a usare i prigionieri nei grandi lavori. Stefano prestò la sua opera a fianco degli americani nella costruzione dell'arteria stradale Alice Springs-Darwin, salendo successivamente al centro minerario di Tenant Creek, dove costruì la prima stazione di polizia. Quando la colomba della pace volò su tutti i fronti, Stefano tornò in Italia. Gli anni avventurosi trascorsi in Oceania avevano trasformato le sue abitudini, il suo modo di essere, di pensare. Avevano plasmato una filosofia sintonizzata sulla terra dei canguri. Perciò, dopo un vano tentativo di reinserirsi nelle tradizioni e nei ritmi della terra, si rese conto che il suo mondo era agli antipodi.

Adelaide, forse per il nome italiano o forse per la ridente tranquillità del paesaggio, indusse Stefano a porre fine alla sua vita nomade e, con la famiglia finalmente al fianco, si riposò nel verde del giardino della sua casa. Da qualche anno riposa nella pace dei giusti, ma quanti lo hanno conosciuto non possono dimenticare la sua vita forte e coraggiosa, che rappresenta uno splendido esempio della nostra epopea migratoria.

TRA REGGE
E IMPERATORI

Nel maggio del 1916, quando uno dei primi aerei tedeschi guidava dal cielo di Asiago i tiri di un cannone da 350 millimetri, piazzato in riva al lago di Caldonazzo, Domenico Basso, detto Menego Cengio, aveva meno di cinque anni. Appena fuori dal paese, al Termine, c'era la sbarra di confine che divideva l'Italia e l'Austria.

A quel tempo osservava il via vai dei soldati, ascoltava gli alpini che cantavano canzoni d'amore e seguiva le bande di fanteria che suonavano marce allegre. Era così la guerra?

Le prime distruzioni nel centro del paese gli misero paura. I pianti della gente lo impressionarono: «Mamma, – chiedeva – perché i tedeschi vogliono ucciderci?». Cominciava a farsi un'idea del mondo in cui era capitato.

Dopo le elementari, Menego doveva scegliere un mestiere. Al laboratorio-scuola aveva appreso nozioni di carpenteria del legno e del ferro, ma per il terzo anno preferiva seguire le lezioni di modellista-decoratore. Poiché stavano ricostruendo la chiesa e il campanile, gli fu chiesto di preparare un modello per il capitello della cella campanaria. Fu accettato e così una parte del campanile reca anche la sua firma. Lavorò molto da scalpellino, cementista, muratore, falegname. Ma si rifiutò di fare un provino cinematografico, chiestogli da un signore che bazzicava il paese.

Un giorno ricevette la lettera di uno zio, assistente tecnico presso una ditta di costruzioni di Torino. Gli chiedeva di mettere insieme una dozzina o due di muratori e scalpellini, disposti a lavorare nella ferrovia transiraniana. «Gli mandai in fretta la lista – dice Menego – ma in testa misi il mio nome. Partimmo da Trieste il 7 marzo 1934 con la motonave *Italia*».

Dopo cinque giorni di navigazione tranquilla la nave attracca a Larnaca, nell'isola di Cipro. Qui vengono imbarcati alcuni gruppi di ebrei, fuggiaschi dalla Germania perché minacciati dalle camicie brune di Hitler. A Tel Aviv gli ebrei non accettati dal governo di sua maestà britannica sono abbandonati al loro destino nei sobborghi della città.

«Finalmente sbarchiamo a Beirut e, con un autobus sulla cui cabina era issato un mitragliere, viaggiamo verso Damasco. Raggiungiamo Bagdad verso mezzogiorno del dì seguente, dopo un viaggio faticosissimo attraverso il deserto siriano. Poche ore per una doccia e uno sgradevole brodo di pecora, poi si riparte in treno per Teheran. A bordo di quel rottame c'erano solo panchine e nessun vetro. Correva come un asino e per superare 150 chilometri ci impiegò 10 ore. Quando giungemmo a Teheran, era sera: il calendario segnava 17 marzo. Eravamo alla vigilia del capodanno iraniano, che comincia il 21 marzo e si protrae per quindici giorni. In questo periodo tutto è bloccato, compresi negozi e uffici. Camminando per la città battuta da un caldo afoso, trovo un ufficio postale con le porte semichiuse. Avevo in tasca mille lire datemi da mio padre per il viaggio di ritorno, qualora il clima malarico dell'Iran fosse risultato insopportabile. Invece, spedii a mio padre un vaglia di equivalente valore e scrissi: grazie, se torno, voglio farlo soltanto con i miei soldi».

Passate le feste, la ditta lo porta con i compagni nel cantiere di lavoro distante 120 chilometri da Teheran. Strano paese, la Persia: in città si colava dal caldo, nel cantiere era incominciato a nevicare. Intorno era tutto un gracidìo di rane e quel concerto disturbava il sonno. Il lavoro consisteva nell'erigere grossi muraglioni in sasso e cemento lungo la ferrovia. Era un lavoro duro, ma rendeva bene. La vita tuttavia era misera: il pasto più abbondante consisteva in una frittura di rane, che si stentava a ingurgitare.

Menego riportò una ferita sul lavoro, alla gamba destra. Così un infermiere lo portò a Teheran e un impiegato della Compagnia lo abbandonò sui gradini dell'ospedale. Un'infermiera, che parlava francese, lo trascina all'interno e lo sistema su un lettino vacillante. Poiché è impossibile mangiare il cibo dell'ospedale, chiede a una vecchia inserviente un po' di pane bianco e delle sigarette. Quella, sollecita, porta una pagnotta e dello zucchero. In iraniano sigaretta si dice *sigar*, zucchero si dice *scecar*. Sbaglia la pronuncia e così, invece di fumare, si mangiò lo zucchero.

«Venni dimesso dall'ospedale e ritornai al cantiere – racconta il nostro protagonista. – Una notte, in sogno, vedo morire mia madre e sento una tristezza infinita. Era il 2 luglio. Rimango accasciato per tre giorni interi. La conferma del sogno l'ebbi quando un mio cugino, anche lui emigrato in Persia, venne a trovarmi. Piangemmo insieme con grande desolazione».

Con l'aiuto di un friulano intraprese alcuni lavori in proprio. Prima la posa del pavimento di un garage, poi l'intonacatura di facciate, l'erezione di muri, la composizione di mosaici... L'assegnazione di un primo stralcio dei lavori per l'universtà diede il via allo sviluppo della ditta, che contava già parecchi dipendenti. L'approccio con la corte dello scià Reza Pahlavi, fondatore dell'Iran moderno, fu lento e graduale. Aveva appena ultimato la facciata in finto travertino della chiesetta cattolica di Teheran, dedicata alla Madonna Consolata, quando un nobile lo invitò a rimodellare il muro frontale della sua villa. Era un ricco diplomatico di nome Gavam Saltané.

Dopo questo lavoro, un messo dello scià gli offrì i lavori di finitura del nuovo e imponente circolo ufficiali della capitale. Lo scià in persona, Reza il Grande, capitava ogni giovedì pomeriggio per verificare lo stato dei lavori. Menego l'attendeva in atteggiamento molto rispettoso e lui salutava e parlava con molta cortesia. Se voleva qualcosa di speciale, mostrava il disegno e diceva: «Sei capace, Basso, di ripetere perfettamente questo lavoro?».

Finiti i lavori interni del palazzo, lo scià in persona gli diede l'incarico di erigere le colonne e i portalampioni del giardino antistante. Ormai era l'uomo di fiducia dello scià: era un vero artista, secondo lui. E Menego gli diceva: «Maestà, non sono degno della sua grande considerazione. Sono di origini umili e faccio quel che posso, ma con tanta buona volontà».

Il tasto delle modeste origini lo toccava in modo particolare. Anche lui non era di casato nobile. Si dice che fosse stato sergente o poco più, al comando di un gruppo di cosacchi a un centinaio di chilometri da Teheran, quando nel 1921 gli inglesi lo fecero reggente della Persia. Si autoproclamò re, dando inizio alla dinastia dei Pahlavi, il 12 dicembre 1925, succedendo allo scià Achmed, spodestato e morto in esilio a Sanremo pochi mesi prima. Assunse il nome di Reza Shah e i cortigiani gli aggiunsero un appellativo: il Grande.

«Era davvero un grande uomo – afferma Menego. – Di maniere brusche ma affabili con la gente comune, era militaresco e irascibile con i suoi ministri. Era questo un aspetto negativo della sua personalità, altrimenti giusta e comprensiva».

Per il vecchio scià, Menego era il migliore costruttore della Persia: «Vieni con me, Basso – gli disse un pomeriggio, e lo condusse di fronte alla casa del ministro della guerra, dove c'era un vecchio cannone in legno ormai fradicio. – Vorrei che tu me ne facessi una copia in cemento per il nuovo palazzo del ministero».

L'«artista» replicò: «Maestà, di cannoni ne ho visti tanti al mio paese durante la guerra mondiale, ma mai ne ho costruito uno, neanche in legno come giocattolo. Proverò comunque a fare un modello e poi sua maestà mi dirà il suo parere». «Niente modelli – fu la risposta. – Se riesci a farmelo, ti do quindicimila reali oltre a tutto il materiale che ti serve». L'offerta era allettante, perché rappresentava il compenso di un anno di lavoro. Invece Menego impiegò solo 40 giorni per costruire e piazzare il finto cannone. Quando lo scià venne a vederlo, disse solo «Bravo!» e mise in mano all'artefice altri 5 mila reali.

«Assunsi altri incarichi delicati nelle dimore dello scià e nelle ville di principesse e dignitari di corte. Ma ormai era anche tempo di trovarmi una compagna per la vita. Nella casa del console tedesco a Teheran avevo intravisto una bella moretta. Per fortuna era italiana: abruzzese. Si chiamava Luisa. La sposai il 21 aprile 1941. Le preparai una casa con piscina e, per gli amici italiani, costruii alcuni giochi di bocce. Volevo che la mia casa fosse aperta a tutti i connazionali che vivevano in città e a quelli che ci capitavano».

La seconda guerra mondiale scoppiò improvvisa e purtroppo lo scià manifestò simpatie per l'Asse. Benché avesse dichiarato la Persia neutrale, subì ugualmente l'aggressione delle truppe inglesi al Sud e di quelle russe al Nord. Il 16 settembre 1941 gli alleati costrinsero lo scià ad abdicare, insediando sul trono il figlio, principe Mohammed Reza, che aveva ventun anni ed era già sposato con la principessa Fawzia, sorella di Faruk, re dell'Egitto. Il protettore di Menego venne esiliato alle isole Mauritius, nell'Oceano Indiano.

Il 21 settembre 1941 il nostro eroe ritorna in Italia con la moglie, affrontando un viaggio estenuante attraverso la Turchia, la Bulgaria, l'Ungheria, l'Austria. La nuova guerra lo vide militare in Sicilia, a Roma e a Torino. Ma il tarlo della Persia non smise di rodere e così, nel 1947, ci ritorna con la moglie e la figlia Maria. Lavora per i pochi ricchi superstiti e ancora, ma più saltuariamente, per Mohammed Reza Pahlavi. Nei giardini della reggia costruì una pista di cemento, sulla quale correva l'automobile elettrica donata dalla Fiat ai figli dello scià.

«Reza Pahlavi avviò un vasto programma di riforme sociali – è il giudizio di Domenico Basso detto Menego. – Distribuì la terra, acquistata dai latifondisti, fra due milioni di famiglie povere e istituì scuole nei centri rurali, dove più diffuso era l'analfabetismo. Commise però anche gravi errori: spese troppo per rimodernare l'esercito e fece una cerimonia troppo fastosa per la sua incoronazione e per quella della seconda moglie Farah».

Dopo l'avvento di Khomeini, nel 1983, il nostro protagonista abbandona l'Iran. Ora vive in Australia con la famiglia. La figlia Maria, che prestava servizio presso l'ambasciata di Teheran, lavora al consolato italiano di Adelaide. Incontra spesso paesani e amici e non gli pesa stare all'estero, perché all'estero ha vissuto una intera vita. Però la sua terra promessa ha un nome: Asiago, un paese del vicentino dove iniziò la sua vita e dove trascorse gli anni della giovinezza. «La vita è come una parabola – ama ripetere. – Si allontana ma finisce sempre per tornare, nella realtà o nel sogno, al suo punto di partenza».

NESSUN MURO PUÒ FERMARE LA VOLONTÀ DI PACE

Un programma televisivo olandese, dedicato agli stranieri, ha mostrato recentemente alcune immagini di trent'anni fa, relative all'arrivo dei primi emigrati italiani, contrattati per lavorare negli altiforni di Hoogovens. Si vedevano i nostri connazionali tutti giovanissimi, spauriti, capelli neri, scendere dall'autobus che li aveva prelevati alla stazione di Amsterdam e avviarsi verso la nave «Rosa Sun», ancorata sulla riva di un grosso canale e trasformata in alloggio per lavoratori stranieri. Uno per uno, appena scesi dall'autobus, i giovani venivano salutati con un sorriso e una forte stretta di mano da un frate cappuccino, magro, folta barba, dall'atteggiamento cordiale. Sui visi dei giovani appariva un sorriso di riconoscenza e di speranza. Nessuno sapeva, però, che in quei momenti nasceva, tra gli italiani e il frate, un rapporto di amicizia e di reciproca fedeltà che dura ancora oggi, cementato nel tempo da tante vicende e da tante difficoltà.

Padre Romedio Zappini era arrivato dall'Italia il 29 giugno 1960, per assolvere all'incarico di cappellano degli emigrati in Olanda. Durissimi i momenti iniziali: non per lui, abituato a vivere in assoluta povertà per scelta di fede, allo scopo di poter meglio aiutare i fratelli nel bisogno. Durissimi perché mancava la forza necessaria, il peso politico e i mezzi concreti, per difendere adeguatamente i giovani italiani nelle loro richieste per la parità di trattamento con i locali nel campo del lavoro, dell'alloggio, dell'istruzione, della formazione professionale. Così il frate, ancora oggi uno dei pochissimi cappuccini che in Olanda indossano il saio, si fece conoscere dappertutto: nelle fabbriche, nei comuni, negli ospedali, nei tribunali, nelle prigioni e soprattutto nelle chiese dove, quasi volando da un campanile all'altro, è sempre riuscito a celebrare in tempo messe, matrimoni, battesimi e tante cerimonie funebri per connazionali falciati dalla morte in età spesso assai giovane.

Oggi padre Romedio non si sente più solo nella missione di San Pietro e Paolo, da lui fondata a Beverwijk subito dopo il suo arrivo. «C'è ancora tanto da fare, – dice con un sorriso – c'è tanta gente che ha bisogno di giustizia... Se proprio si vuole cercare qualche novità nel mio impegno, si guardino gli acciacchi che l'età comincia a procurarmi. Ma non è cosa grave».

«Gli anni volano – prosegue padre Romedio. – Ero venuto in Olanda per restarci due anni. Per me, pure nell'obbedienza all'ordine del mio provinciale, trasferirmi in Olanda, un paese piatto, sotto il livello del mare, fu una cosa strana, quasi innaturale, abituato com'ero a vivere sulle montagne dove sono nato. Oggi rifletto e mi accorgo che, in tutto questo tempo, non mi sono posto per niente il problema di trasferirmi altrove. Gli anni sono trascorsi uno dopo l'altro e a ogni fine di giornata mi dicevo che qualche cosa non era stata fatta e che andava fatta il giorno dopo. Non sono io a ricordarmi che sono passati trent'anni: sono loro, gli italiani. Trent'anni fa mi trovavo in Germania per una riunione di missionari e così decisi di andare a trovare una famiglia di connazionali, che abitava a Philippsthal, sul fiume Werra, dove molti italiani erano occupati a estrarre sale minerario. Il fiume divideva la città in due e in mezzo al ponte, che collegava le due parti, c'era il posto di frontiera tra le due Germanie. Sotto il ponte, filo spinato e cavalli di Frisia impedivano anche ai pesci di passare da una parte all'altra. Quella città era tristemente famosa per essere luogo di continue uccisioni o imprigionamenti di tanti tedeschi dell'Est, che cercavano rifugio all'Ovest. Così, quel giorno, qualcosa mi spinse a salire sul ponte e a spingermi qualche metro in avanti: volevo pregare per quelle vite perdute, per la pace, per l'amore tra gli uomini. Ricordo che in un attimo una camionetta apparve al mio fianco e soldati armati mi si strinsero contro. Mi volevano portare via, pensando che stessi tramando qualcosa. Dissi loro che ero venuto solo a pregare, proprio per loro, per la loro serenità; che la mia presenza era un messaggio di speranza e di amore. Dissi loro che in quel momento facevo un voto: quello di tornare su quel ponte, libero dagli odi e dalle divisioni, per pregare ancora per la pace tra gli uomini. Uno mi chiese quanti anni avessi. Ventisette, risposi. Sei troppo vecchio per vedere questo miracolo, risposero prima di lasciarmi andare. Qualche tempo fa sono tornato a Philippsthal, dopo trent'anni; e sono tornato vicino al ponte. Un giovane capitano dell'esercito dell'Est mi ha chiesto di allontanarmi. Per i non tedeschi ci sono ancora restrizioni tra una zona e l'altra delle due Germanie. Quando gli ho spiegato che ero lì per sciogliere un voto, mi ha consentito di passare».

«La mia preghiera è cresciuta di intensità, a mano a mano che mi addentravo in quella metà di paese

– racconta padre Romedio. – La chiesa, abbandonata, era stata trasformata in un magazzino. Le finestre delle case erano in maggior parte murate, altre avevano i vetri rotti e dovunque c'era uno spettrale abbandono. Pensavo agli anni di durezza e di crudeltà occorsi per giungere a quella desolazione. Ma ero sereno e gioivo per il ritorno della libertà in quella parte del mondo. La storia degli uomini può trovare il compimento nella Divina Provvidenza. Sulla terra c'è ancora tanto da fare e non bisogna credere che la democrazia, come il benessere spirituale, siano dietro l'angolo. Devono essere oggetto di conquiste. Per raggiungerle, bisogna credere e lavorare».

Padre Romedio sorride. Sembra chiedere scusa per aver parlato tanto, lui, che è restato un montanaro di poche parole. Sembra chiedere scusa per avere rievocato i suoi trent'anni di emigrazione. In realtà non ha parlato di sé, ma del prossimo, cui ha dedicato la sua vita. Gli italiani in Olanda dicono di lui che non ha fatto la guerra a nessuno. Al contrario, è intervenuto innumerevoli volte, per sanare dissidi e riunire la gente. Ha lasciato sempre aperto il ponte della pace. Non possono esserci né ponti né cortine, dice con l'esempio della propria esperienza, se uno crede che gli uomini, le associazioni e anche i partiti possano condurre verso una pace serena e sicura.

IL SENATORE STEFANI
E IL CAMPANILE DI CONCO

Ho conosciuto Giuliano Stefani in una circostanza particolare: la festa di sant'Antonio, celebrata sul parterre della chiesa di Portrush Road, dove è parroco padre Allan Winter. Nella sala del ricevimento, dopo la messa all'aperto, tra il rumoroso intreccio di dialetti sentii qualcuno che parlava il mio: senza fronzoli e un po' cantilenante. Era senza dubbio il dialetto delle popolazioni dei Sette Comuni, oggi divenuti otto. Individuato l'interlocutore, dissi senza presentarmi: «Certamente vieni dall'altopiano, probabilmente da uno di quei paesi che guardano verso la pianura bassanese». «Bravo – mi rispose. – Come lo hai capito?». «È facile: anch'io vengo di là».

«Senti, senti, Diana, – disse alla moglie in inglese – qui c'è un paesano». Poi, rivolgendosi a me: «Io sono Giuliano Stefani – fece – e questa è mia moglie Diana. Sono originario di Conco, proprio uno di quei paesi che hai detto». Ci stringemmo la mano e parlammo a lungo, a ruota libera, senza badare agli altri. Io ricordavo bene il suo nome, storpiato: Julian Stefany, invece dell'italianissimo Stefani. Con quel nome i giornali australiani lo avevano presentato, appena eletto al senato. Accolsi quindi la storpiatura come un rifiuto delle proprie origini. L'impressione che ne ebbi fu di fastidio, anche se si trattava di un italiano che finalmente aveva sfondato nel *sancta sanctorum* del partito liberale, ritenuto abbastanza elitario. Sembra, invece, che la storpiatura sia dovuta a un errore dei giornalisti, non troppo abituati ai politici etnici.

L'alto riconoscimento a Giuliano è ben meritato. Ma è ancora più meritato, se viene considerato un atto di deferenza alla sua famiglia, che ha una storia lunga e tribolata. Nel 1925 il padre Stefano decide di emigrare in Australia. Oltre alla famiglia, composta dalla moglie Maria e da due figlie, Dina e Stefania, lascia alle spalle un piccolo mondo fatto di semplicità e modestia, ma con una tradizione di fatiche e di povertà. A Conco, allora, abbondava solo la polenta.

Stefano sbarca a Melbourne con tanti progetti e tante speranze. Ma trovò solo delusione. Lavoro non ce n'era. Già si profilava la crisi, che raggiungerà il suo punto massimo nel 1929 con effetti gravissimi per l'economia mondiale. Solo a Sydney si poteva trovare occupazione nelle imprese edili. Si trattava però di piccoli lavori saltuari, con remunerazioni misere. Dopo una parentesi nei boschi del Sud Australia, che lo videro prima boscaiolo senza paga, perché bisognava aspettare che il padrone vendesse la legna, e poi manovale nello sterro stradale, Stefano sentì da un ispettore inglese che nel territorio di Papua e della Nuova Guinea si trovava l'oro in abbondanza. Si poteva, in poco tempo, creare una fortuna.

Nel 1931, con 100 sterline prese in prestito da un paesano, Stefano raggiunse il nuovo Eldorado in una zona remota. L'oro c'era per davvero. E allora si mise a setacciare da mane a sera la sabbia gialla nei numerosi torrentelli della zona. Un lavoro massacrante. Riuscì a trovare anche qualche pepita e così ebbe denaro sufficiente per sostituire il casone di rami e foglie con una casetta di legno, dove abitare con qualche co- modità. In quel posto selvatico non si era mai vista una casa vera. Gli aborigeni abitavano nelle caverne o sotto piccole tettoie coperte di foglie.

La convivenza con loro era difficile perché sospet- tavano di tutti; comunicare era impossibile poiché parlavano una lingua incomprensibile. Fra di loro c'e- rano persino dei cannibali, che non avrebbero certo disdegnato un buon pasto di carne bianca. Sembrava impossibile, però, che un fatto così mostruoso potesse accadere. Invece un giorno, di un conoscente, Stefano trovò solo i vestiti. Un altro paesano, che in un alterco aveva ucciso accidentalmente un indigeno, dovette abbandonare in gran fretta la zona: i cannibali gli ave- vano già preparato la griglia.

Dopo quattro anni di quella vita da cani, che pure gli aveva fruttato migliaia di sterline, nel 1935 decise di rimpatriare per generare la terza figlia. Non la co- nobbe mai perché, prima della sua nascita, riprese la nave per l'Australia. La figlia morì nel '37 e l'anno successivo Stefano ritornò in patria, rispondendo ai ri- chiami della moglie, stanca di una esistenza solitaria. Nel 1939 nacque Giuliano ma, ancora una volta, il pa- dre non fu presente, perché il «mal d'Australia» lo aveva indotto a riprendere la rotta dei mari del sud.

Giuliano ricorda: «Gli anni della mia giovinezza a Conco trascorsero felici. La mamma mi insegnò a pre- gare e il parroco mi introdusse ai riti liturgici. Di- ventai chierichetto e anche, un poco, sagrestano e campanaro. Le campane mi affascinavano: i loro toc- chi sembravano palpiti di un grande cuore, squillante nel cielo. Non mancavo mai alla prima messa anche se durante la notte, come succede in montagna, era nevi- cato e una coltre bianca rendeva difficile la via della chiesa».

«Qualche mattina faceva un freddo tremendo e i vetri delle finestre erano arabescati di ghiaccio. Eppure ero sempre puntuale alla messa e qualche mattina ero io che aspettavo il parroco, e poi davo di piglio alle corde delle campane, sostituendo il campanaro ritardatario. Salivo spesso la scaletta del campanile e dalla cella campanaria osservavo i paesi della pianura. Mi godevo insieme il concerto delle campane che, come quelle di Asiago, sembra siano state fuse con ori e argenti donati dalla popolazione. Di qui il loro suono squillante, che riempie l'animo di allegria. Mia madre mi sgridava, perché temeva che le oscillazioni dei bronzi mi catapultassero nel vuoto e i suoni mi rendessero sordo. Un giorno del 1950 dissi al parroco e al maestro che la mia famiglia emigrava in Australia per raggiungere il padre. "Cosa farai in Australia, Giuliano?", mi domandò il parroco. Gli risposi che sarei diventato ricco e poi sarei ritornato a Conco per comperare... il campanile. Il parroco rise, e ancora oggi Dina e Stefania qualche volta mi ricordano l'ingenuo desiderio».

In Australia, dopo aver frequentato il liceo, si impiegò in una ditta di impianti idraulici e fece rapida carriera, diventando manager di una compagnia, che costruiva impianti di aria condizionata. Dopo avere acquisito una buona esperienza nel campo delle costruzioni, decise di mettersi in proprio. La sua ditta, cui collabora il figlio Steven, oggi è ben sviluppata. L'altro figlio, Giuliano junior, è laureato in agricoltura e svolge la sua attività in una fattoria del Territorio del Nord.

Giuliano fece parte di molte associazioni negli anni passati e quando decise di entrare in politica, lo fece con grande impegno. Non è un caso se oggi è sottosegretario al ministero degli Affari multiculturali del Sud Australia. È una figura popolare fra gli italiani ed è spesso in primo piano nel dibattito parlamentare. Rifugge dai compromessi politici e partecipa a moltissime celebrazioni etniche. In particolare a quelle italiane. Non l'ho più rivisto privatamente. Ma se mi dovesse accadere di incontrarlo, gli chiederei se pensa ancora di acquistare il campanile di Conco. Il parroco e i paesani non glielo venderebbero di sicuro. Ma in compenso lo festeggerebbero caldamente. Come un figlio prodigo che ritorna alla sua terra e alla sua comunità di origine, per ritrovare il sapore del suo tempo perduto.

UN SALESIANO A MACAO

Io l'ho visto solo una volta, ma lo chiamo padre Mario di Macao, poiché mi sembra di conoscerlo da sempre. Quando mi congedai, dopo una breve permanenza in Cina, lo abbracciai, ed ebbi la certezza di aver abbracciato un santo. Ne provai una profonda emozione, che conservo ancora oggi e sentirò sempre quando penserò a padre Mario Acquistapace, missionario salesiano nei più difficili posti dell'Estremo Oriente.

Una vecchia agenda, che conservo, mi ricorda che il 6 maggio 1989 a Macao pioveva. Era piovuto anche il giorno prima e le strade della città vecchia erano piene di fango. Nei posti di ristoro all'aperto e sotto le fragili tettoie di carta, le gocce cadevano nei pentoloni fumanti del riso e facevano le bollicine sulle zuppe povere, dove galleggiavano pochi pezzi di verdura insieme con gli spaghetti cinesi. Avevo visitato il tempio di Ku Iam, poi la pioggia era diventata insistente e il mio programma di lavoro si interruppe per necessità. Alorino Noruega, indiano di Calcutta, si offrì di accompagnarmi nell'isola di Coloane. Disse che avrei trovato una sorpresa. Imboccammo così il lungo ponte che ci portò a Taipa e da qui continuammo verso Coloane, la seconda isola di Macao.

Giungemmo in una piazzetta, con una chiesuola minuscola. Sulla porta c'erano dei bambini. Sorridevano, giocavano, mi guardavano pieni di curiosità con i loro occhi grandissimi. Tutti i bambini poveri hanno gli occhi grandi e terribilmente espressivi. Non so perché. Fra questi vidi un vecchio dalla barba bianca, i capelli pettinati all'indietro, una povera tonaca nera: un sacerdote. Era padre Mario, quello che Alorino Noruega aveva definito il santo vivente. Mentre pronunciava queste parole, l'uomo che guidava il tassì annuiva ripetutamente con il capo. Non sapevo come presentarmi e alla fine scelsi la maniera più semplice: «Buon giorno, padre Mario» dissi. Gli presi la mano e feci l'atto di baciarla, ma egli la ritrasse.

«Buon giorno» mi rispose, con la voce roca dell'anziano. Poi incontrai i suoi occhi. Due occhi vivi, ancora pieni di curiosità: infossati in un volto scarno che terminava con una barbetta bianca, all'orientale. Per quel suo aspetto seppi che a Pechino lo avevano soprannominato O Chi Min, che era stato il padre del Vietnam comunista. E una certa rassomiglianza c'era.

«Questa è la mia parrocchia – disse. – La parrocchia salesiana di Coloane, consacrata a san Francesco Saverio. Una parrocchia piccola; ma cerchiamo di fare del nostro meglio per questa gente nel nome del Signore. Qui c'è una grande povertà. Vede quelle baracche? Dentro c'è gente che si dedica a un complicato gioco cinese di dadi. Sono soprattutto le donne a giocare, le mamme di questi bambini. Lo fanno non per divertimento, ma per guadagnare qualche soldo. Affidano a me i bambini per qualche ora e loro tentano la fortuna». I bambini erano tanti. Venivano intorno a padre Mario ed egli parlava loro con voce piena di dolcezza, li accarezzava, prendeva i più piccoli per mano e li accompagnava.

Andai verso le baracche: alcune lampade illuminavano i tavoli, sui quali le mani si muovevano frenetiche lanciando i dadi. Presi dalla borsa la macchina fotografica, ma il gesto non piacque. Uomini e donne mi fecero capire che non volevano essere fotografati e qualcuno protestò ad alta voce. L'aria si stava riscaldando, ma giunse padre Mario. Certo non a caso. Credo che lo avessero chiamato, dicendogli che l'uomo venuto da lontano si trovava nei pasticci. Al suo apparire gli animi si placarono e padre Mario spiegò che ero un fratello della sua terra, che ero là non per fare del male, ma in veste di amico. I cinesi sorrisero, mi invitarono a sedermi, poi fecero cenno che potevo scattare le foto.

Quando ritornai nella piccola chiesa, padre Mario stava parlando con due giovani sposi. Terminò il suo sermoncino e poi trovò il tempo per dedicarsi un po' a me. Gli chiesi di raccontarmi la sua storia ed egli mi sorrise stancamente. Rispose che era una storia lunga. Seppi poi che era stato il primo fondatore della casa salesiana in Cina nel 1946. Con lui si era avverato il sogno di don Bosco di avere una missione laggiù.

Non restai a lungo con lui. Aveva veramente moltissimi impegni: tanta povera gente aveva bisogno di lui. Lo salutai, tentando invano di baciargli la mano. Mi diede la sua benedizione e mi donò l'immagine cinese di Maria Ausiliatrice. Stetti a guardarlo, mentre si avviava con passo lento lungo i viottoli fangosi di Coloane, riparandosi dalla pioggia sotto un vecchio ombrello. Ritornato in Italia, dopo qualche mese ebbi occasione di parlare per telefono con la signora Acquistapace, nipote di padre Mario. Espressi il desiderio di sapere qualcosa di più della vita dello zio e mi giunse un pacchetto contenente una grande quantità di ritagli da vecchi giornali. Riuscii così ad avere una traccia della vita del «don Bosco di Coloane» e delle tappe salienti del suo apostolato.

Partì per l'Oriente all'età di diciotto anni. Nel 1931 celebrò la sua prima messa nella cappella dell'istituto salesiano di Hong Kong; poi passò a Macao, dove restò fino al 1946, quando i superiori lo inviarono a Pechino per fondare la prima casa salesiana in Cina. Erano gli anni della disfatta di Ciang Kai Shek e dell'instaurazione della dittatura comunista. Quando il nuovo potere fu saldamente consolidato all'inizio degli anni Cinquanta, padre Mario dovette lasciare la Cina con grande dolore. La casa salesiana fu chiusa dal regime comunista e il missionario si recò nelle Filippine e poi nel Vietnam. Si stabilì prima ad Hanoi e poi a Saigon, nel momento in cui iniziava il conflitto fra Nord e Sud del paese. Fu durante questo periodo che con alcuni confratelli riuscì a costruire le case per la povera gente di Go Tu Duc e un orfanotrofio che offriva ospitalità a oltre seicento bambini. Nel 1974 lasciò il Vietnam e si frasferì a Macao, stabilendosi nella parrocchia di San Francesco Saverio a Coloane. Come don Bosco, raccolse gli sbandati e i senza casa, dialogò con i giovani usciti di prigione e li ospitò nella sua comunità, insegnando a loro un mestiere. Raramente ritornò in Italia, poiché ormai la sua casa era l'Oriente e quella la sua gente.

Qualche tempo fa ho sentito la parente di padre Mario: sembra che abbia espresso il desiderio di ritirarsi in un pensionato, alla bella età di ottantaquattro anni. La sua non è una resa, ma solo la consapevolezza serena che un giovane avrà forze più fresche per portare avanti la missione. Ho saputo anche che padre Mario non ritornerà in Italia, come la sua famiglia sperava. Ha deciso di vivere gli anni, che il Signore ancora gli riserva, fra la gente per la quale ha speso la vita.

NEMMENO IL SUCCESSO
HA MUTATO IL SUO CUORE

Adelaide, capitale del meridione d'Australia, è una città splendida. Lo scrittore statunitense Anthony Trollope scrisse nel secolo scorso: «Neppure Filadelfia venne costruita con un senso così marcato dell'ordine e della regolarità, come è avvenuto per Adelaide». La città era il sogno del colonnello William Light, che nel marzo del 1837 ne tracciò il perimetro comprendente 1042 acri di terra. Una delle più appariscenti caratteristiche della città sono i parchi che ne circondano i confini, la dividono dai sobborghi e danno quel senso di spazio e di natura nel quale tutti trovano serenità e i bambini possono scorrazzare a piacimento.

Non così roseo fu l'impatto di Ottorino Minuzzo con la città, al suo arrivo ormai lontano nel tempo. Il ricordo è addolcito, ma è sempre vivido nella memoria. Uno sprone che lo accompagnerà tutta la vita, alla ricerca di nuovi traguardi.

Ottorino nacque in un freddo mattino di dicembre dell'anno 1925, in un piccolo centro del Veneto: Volunara, trenta chilometri da Venezia. La famiglia non riusciva a sopravvivere con i magri proventi di una campagna dura da coltivare e parca di frutti. Quando il neonato aveva appena compiuti i tre mesi di vita, mamma e papà si imbarcarono per l'Australia. Li spingeva la speranza di una vita migliore, ma quale sacrificio lasciare in patria il figlioletto, affidato alle cure dei nonni materni. Forse perché provati da una lunga permanenza in terra straniera, possiamo facilmente comprendere il trauma di mamma Minuzzo al momento del distacco. Lacrime a non finire e un dolore profondo, che attanagliava il cuore.

Mentre i genitori lavoravano accanitamente per tirare avanti una vita stentata, il bambino crebbe pensando che i nonni fossero i suoi genitori. Ci vollero sette anni di forzato esilio prima che, soldo su soldo, mamma e papà mettessero da parte le cinquanta sterline necessarie per il biglietto di Ottorino. All'arrivo, aveva nella sua borsa solo un paio di pantaloncini e un'unica camicetta.

«Come misi piede in Australia, ebbi uno shock formidabile – racconta. – Oggi sembra tutto rose e fiori, la città è un giardino... In quei tempi, invece, la parte nord-occidentale, dove erano concentrate le famiglie degli italiani, era di uno squallore desolante. Altro che passeggiate nei parchi. Ebbi gravi difficoltà a inserirmi nella mia vera famiglia. Non riuscivo a capire come i miei genitori non fossero quelli che avevo creduto. Questo creò in me un senso di alienazione, poiché mi pareva di essere un intruso nella mia famiglia e di essere trattato come tale. Forse la dolorosa sensazione nasceva dall'ambiente, decisamente ostile, nel quale vivevo. I coetanei mi schernivano perché non conoscevo l'inglese, e sovente mi picchiavano senza ragione. Non erano certo condizioni ideali per crescere in pace. E allora mi diedi da fare con decisione per sopravvivere».

Erano passate soltanto tre settimane dall'arrivo nella sua nuova patria, che Ottorino si mette a vendere giornali agli angoli delle strade. Cinque anni di vita grama: caccia al passante per dargli il giornale spesso rifiutato; e alla sera, al momento di fare i conti, l'amara constatazione che il guadagno era stato assai magro: pochissimi centesimi. Ma anche quella piccola entrata fu di grande aiuto per la famiglia, priva di risorse e oppressa dalla grave crisi economica che aveva colpito il paese.

«A tredici anni – continua Ottorino – mi sentii in grado di cercare un lavoro. Non avevo alle spalle un'educazione scolastica. In cambio avevo però una volontà caparbia di riuscire, plasmata da un'infanzia durissima. Mi occupai quale manovale tuttofare in un'azienda idraulica. Ma poi cominciai una peregrinazione di paese in paese, alla ricerca di un lavoro che non sempre fu remunerato adeguatamente. Ma quando non c'è scelta, un "grillo ha il sapore di un pollo", afferma un vecchio adagio».

Al compimento del diciottesimo anno fu chiamato per il servizio militare. Era straniero, ma poiché c'era bisogno di soldati al fronte, la cosa era irrilevante. La sua entrata nelle file dell'esercito australiano risparmiò al padre l'obbrobrio dell'internamento.

«Un particolare che non posso tralasciare è che, mentre venivo addestrato a combattere i guerrieri gialli in Nuova Guinea, mi dovevo difendere dai miei commilitoni, sempre pronti a schernirmi e in perenne vena rissaiola».

Con orgoglio di vincitore mostra soddisfatto le mani nodose, prodotto delle scazzottate con i compagni d'armi.

Dopo la parentesi della guerra, giunge per Ottorino il momento di farsi una famiglia e una posizione.

Nel 1946 fonda la Minuzzo Construction Company e in breve tempo raggiunge il successo. Oggi l'impresa è fra le maggiori del paese e i suoi progetti di costruzione prendono il via una decina per volta. Nonostante i numerosi impegni, Ottorino trova il tempo da dedicare alla famiglia. Un figlio e la figlia lavorano con lui nell'azienda, mentre un secondo figlio ha scelto la professione di agricoltore sulle colline di Adelaide.

La comunità intera ha beneficiato della sua generosa solidarietà. I progetti per la comunità cui ha largamente contribuito, riempirebbero intere pagine. Il Centro italiano lo annovera tra i suoi presidenti onorari, per i tanti servizi prestati. E nemmeno al Fogolâr furlan, al Veneto club e al Sodalizio calcistico Juventus è mancato il suo aiuto. Particolarmente notevole il suo contributo alla costruzione del Villaggio Italia per anziani. E questo conferma nella maniera più degna che, nonostante il successo, questo italiano non è cambiato nel suo animo.

«Vengo dalla gavetta – afferma. – Le difficoltà della vita mi hanno temprato, ma mi hanno anche illuminato sul dovere di rimanere sempre me stesso e di aiutare gli altri quanto più è possibile».

UNÌ ALL'INTRAPRENDENZA
LA VOLONTÀ DI PARTECIPARE

Zelindo Mantesso vive a Marsiglia dal 1933, è stato titolare di una grande industria e ha avuto quattro importanti onorificenze: due del presidente della Repubblica italiana, una nel 1962 a l'altra nel 1973; una terza della Santa Sede; la quarta della Camera di commercio padovana, che gli conferì nel 1986 la medaglia d'oro per essersi distinto all'estero. Un uomo importante, insomma, che ha saputo imporsi all'attenzione del paese in cui vive e di quello dal quale è partito.

Partì da Piombino Dese, un paese oggi industrializzato in provincia di Padova, dove era nato nel 1909, quarto in una famiglia di dieci figli. Molto ospitale, peraltro, se a essa si erano aggregati tre nipoti orfani.

Il padre morì in giovane età: non ancora cinquantenne; e quindi le necessità economiche si fecero sentire. I più grandicelli dei Mantesso, dai dieci anni in su, dovettero lavorare presso i contadini della zona; le ragazze andarono a servizio in qualche famiglia del paese. Quattro furono assunti più tardi nella fornace locale. Fra loro c'era Zelindo, che però dopo breve tempo se ne andò, per esercitare l'attività del padre: un piccolo commercio di pesce, che andava a comperare a Mestre in bicicletta nelle prime ore del mattino e poi rivendeva in paese. Al commercio del pesce aggiunse anche quello della frutta e della verdura.

Ma il bilancio familiare non aveva entrate sufficienti. A quel tempo si lavorava molto e i guadagni erano scarsi. Quattro fratelli decidono di emigrare: due a Gallarate, due in Belgio. Nel 1929 tocca anche a Zelindo: un amico lo invita a raggiungerlo a Sanremo. Ma c'è una difficoltà: mancano i soldi per il viaggio. «Per fortuna, – racconta Zelindo – intervenne un vicino, che abitava in un palazzo poco discosto dal nostro «cason». Mi prestò i soldi ma in breve tempo, poco dopo il mio arrivo a Sanremo, glieli restituii».

All'inizio lavorò nell'azienda della nettezza urbana, con una paga mensile di lire 360. Però, dopo aver detratto le spese per il suo mantenimento, ne spediva a casa di più: 400. Moltiplicazione del denaro? No: lavoro straordinario. Durante il tempo libero e nei giorni festivi lavorava in una fabbrica di piastrelle. Il titolare, che si chiamava Luigi Chianea, lo prese a benvolere per la sua volontà di imparare e per il suo attaccamento, e lo assunse a tempo pieno. Lavorò senza riposo, anche la domenica: i fratelli rimasti al paese crescevano e la mamma aveva sempre problemi a far quadrare il bilancio.

La domenica prima del lavoro, alle cinque del mattino si recava in parrocchia e ascoltava la messa, accompagnato da due sorelle che lo avevano raggiunto a Sanremo e avevano trovato occupazione presso un'azienda di floricoltura.

Nel 1932 Luigi Chianea decide di emigrare a Marsiglia, per fondare un'altra fabbrica di piastrelle; e rivolse a Zelindo l'invito a emigrare con lui. All'inizio di gennaio del 1933 è a Marsiglia. «A quei tempi non si alloggiava in hotel o in appartamenti – racconta. – Vivevamo in venti nella stessa camerata e ci si faceva da mangiare con un fornello. Come si poteva. Guadagnavo 360 lire al mese, però facevo sempre lavoro extra: pulizie nei ristoranti oppure negli appartamenti dei ricchi. E così potevo continuare a spedire sempre le 400 lire mensili alla famiglia».

Ma uno dei primi pensieri, appena giunto a Marsiglia, fu quello di trovare una chiesa e un prete italiani. Non trovò la prima, ma trovò il secondo: don Luigi De Biase, missionario degli emigrati italiani, nato a Borghetto, un paese della provincia di Padova, distante da Piombino una ventina di chilometri. Quasi compaesani. Don Luigi avrà una notevole importanza nella vita futura di Zelindo. Grazie al lavoro straordinario, alle economie, al tenace risparmio, riuscì a mettere da parte qualche soldo, senza trascurare naturalmente il mensile assegno alla famiglia. E all'inizio del 1936 riuscì a prendere in affitto una casetta. C'era dell'altro in pentola: la casa non era solo per Zelindo. Era la condizione per un piano più vasto, che realizzò quasi subito.

All'inizio di febbraio ritorna a Piombino e sposa Maria Adelia Roncato. Qualche settimana dopo ritorna in Francia portando seco, oltre alla moglie, anche la madre e il fratello più piccolo, che aveva compiuto quattordici anni. Il vecchio «cason», cioè quella casa tipica nella campagna veneta con muri a secco e tetto spiovente ricoperto di paglia, fu abbandonata, sanzionando per i Mantesso la fine di un'epoca.

La famiglia, sia pure parzialmente, si ricostituì in Francia, dove da tempo erano giunte due sorelle, occupate presso due ristoranti gestiti da connazionali. Zelindo sapeva organizzare le cose e aveva trovato un'occupazione anche per le nuove arrivate: la moglie Maria Adelia e la madre. La prima poteva lavorare per una sartoria, la seconda poteva occuparsi della biancheria di amici italiani, che vivevano a Marsiglia da soli. Il fratello Arduino frequentò la scuola presso la «Casa d'Italia», ma purtroppo morì all'età di diciotto anni.

La vita trascorse entro i suoi binari per qualche tempo: sempre tanto lavoro, ma anche qualche bella soddisfazione. Gli incontri domenicali alla Missione cattolica italiana, che per Zelindo era diventata una seconda famiglia e dove incontrava la sua gente; la partecipazione a un gruppo teatrale italiano; un viaggio a Roma... E naturalmente anche il dolore poiché, dopo Arduino, anche la mamma cessò di vivere nel 1939. Poi venne il colpo di fortuna.

Luigi Chianea aveva associato due fratelli nella sua fabbrica. Ma non andava bene. Cattiva gestione e sprechi avevano reso sempre più difficile la sua attività, tanto che ormai era giunta alle soglie del fallimento. Zelindo si fa avanti e si propone come acquirente. Il prezzo è accessibile, ha qualche soldo da parte e poi ha i suoi fratelli e gli amici. La solidarietà e la fiducia costruiscono il mondo: monsignor De Biase presta mille franchi; altrettanto mettono a disposizione i due fratelli che vivono in Belgio; quanto manca viene garantito dagli amici della Missione. E così l'affare è fatto. Zelindo Mantesso, già netturbino e poi operaio emigrato, è diventato padrone di una azienda, alla quale darà rinnovato slancio e una guida sicura.

Purtroppo scoppia la guerra e sciaguratamente l'Italia attacca la Francia. Gli italiani che ci vivono ne subiscono il contraccolpo, perché i francesi lo consideravano un tradimento. Zelindo chiede aiuto alla sua intraprendenza per vincere le difficoltà pratiche, e alla sua fede per recuperare la speranza dell'avvenire. Aiuta i suoi dipendenti a superare la penuria di generi alimentari, come aiuta i prigionieri italiani della IV armata rinchiusi in un campo di concentramento vicino a Marsiglia. Ma soprattutto sostiene la nostra Missione, che è fatta bersaglio di ingiuste critiche da parte di persone malintenzionate.

Lo stesso monsignor De Biase fu imprigionato nell'immediato dopoguerra. Fu accusato di apologia del fascismo e trattato assai ingiustamente. Era falsa l'accusa e sbagliata la persona. Intanto non si trattava di apologia del fascismo, poiché i discorsi pronunciati durante la messa alla «Casa d'Italia» riguardavano le condizioni del nostro paese, che doveva risollevarsi dalle rovine della guerra; oppure indicavano le ragioni, per cui i nostri connazionali dovevano rimanere fedeli alle loro tradizioni culturali e religiose, e alla loro identità. In secondo luogo i discorsi non erano stati pronunciati da monsignor De Biase, bensì da don Raimondo Squizzato, originario lui pure di Piombino Dese e giunto a Marsiglia per dare una mano alla nostra Missione.

Comunque Zelindo si diede da fare attivamente e fece liberare monsignor De Biase. Il fatto può farci capire il clima di ostilità, che si era sviluppato in quegli anni in un paese amico, dove vivevano e lavoravano molti nostri connazionali. La causa, come già abbiamo detto, era il risentimento per l'aggressione italiana e ancor più per le immani tragedie che la guerra aveva lasciato anche in Francia.

Comunque il cielo si rischiarò un po' alla volta; e, sia pure lentamente, si riannodarono le fila dell'antica convivenza. Nella fabbrica di Mantesso si riprende il lavoro con qualche novità: viene associato nella gestione il cognato Mario Casali; vengono inoltre assunti alcuni ex prigionieri italiani, fra quelli assistiti nel campo di concentramento. Anzi, si deve pensare a un potenziamento, poiché il lavoro cresce continuamente. Occorre realizzare la ricostruzione e c'è bisogno di tutto. Zelindo non si tira indietro: assume nuove maestranze, acquista macchinario moderno e aumenta notevolmente la produzione. In Francia arrivano nuovi connazionali, specialmente dalla Tunisia. Neanche con loro Zelindo si tira indietro e, fino a quando è possibile, cerca di trovare posti per loro nella sua azienda.

Ma non si tira indietro nemmeno nella collaborazione alla Missione, che riprende velocemente tutte le precedenti attività, rinnovando i suoi quadri direttivi. A don Luigi De Biase e don Luigi Ancillotti, sacerdoti diocesani, succedono i padri scalabriniani. Il nuovo responsabile, padre Bernardino Corrà, fonda la «Conferenza di san Vincenzo». Occorre trovare un presidente, e Zelindo si fa avanti ancora una volta. Con il passare degli anni diventa la pietra angolare della Missione. Non risparmia tempo, né denaro, né fatica: il suo impegno principale diventa quello di aiutare i bisognosi. Non soltanto italiani, ma anche francesi ed extracomunitari. La sua carità, veramente, non conosce frontiere. I terremoti e l'inondazione di Firenze, che provarono duramente l'Italia negli anni Sessanta-Settanta, furono momenti di grande solidarietà anche per la comunità italiana di Marsiglia. Tra le foto e i documenti più cari, Zelindo conserva una lettera inviatagli nel novembre 1966 dal cardinale Ermenegildo Florit, arcivescovo di Firenze, nella quale gli esprime commozione e gratitudine per quanto aveva fatto in favore dei sinistrati.

Gli anni passano per tutti, anche per chi non conosce il significato della parola «riposo». Il nostro
Zelindo non ha eredi e vende la sua fabbrica. Finisce
così la sua attività industriale, ma non finiscono quella
benefica e quella sociale. Continua infatti a lavorare
per la Missione, per la «San Vincenzo» e per le Acli,
dando prova di una instancabile volontà di prestare a
tutti assistenza e aiuto.

Queste sue doti sono state riconosciute ufficialmente. Come dimostrano le importanti onorificenze,
che hanno premiato la sua generosa partecipazione e
la sua costruttiva intraprendenza.

UN POLITICO CHE CANTA NEL SENATO AUSTRALIANO

Con i prezzi al produttore sempre più bassi e i prezzi al consumatore sempre più alti, il mondo agricolo australiano è in tumulto. Solo il senatore John Horace Panizza, voce rurale del Western Australia nel senato di Canberra, potrebbe darci una spiegazione dello strano fenomeno e disquisire con competenza sulla crisi agricola che imperversa in Australia. Anche se i tassi di vendita e di acquisto variano in misura inversamente proporzionale, in pratica si tratta di un rebus per la cui soluzione sono necessari gli interventi di qualche santo del cielo e di molti esperti, compreso John Panizza.

Tutti protestano: i produttori scaricano sacchi di grano e casse di arance sui gradini del parlamento, i consumatori gridano che non ne possono più della baraonda dei prezzi. Gli agrumi restano in buona parte invenduti e i silos di grano sono pieni come uova. Siamo, insomma, in piena crisi di... abbondanza. C'è troppo grano? Ma quando si compra il pane, i prezzi sono alti. E la lana grezza? Prezzo *rock bottom*, cioè bassissimo. Ma gli acquirenti italiani, giapponesi, cinesi non si vedono. Le balle di lana non si sa più dove stivarle, mentre i manufatti sono carissimi.

Così si è scoperto che le pecore, brucanti su immense distese, sono in numero eccessivo: qualche centinaio di milioni; e che inquinano il mondo con i residui della digestione. Tutto serve per odiare la molta lana che producono e la carne che nessuno vuole comprare, nemmeno gli sceicchi arabi. Ogni settimana se ne abbattono a migliaia e si seppelliscono in vaste fosse. Ne sono state eliminate alcuni milioni. E tuttavia la carne d'agnello, per i barbecue fumanti in ogni giardino durante i weekend, non costa poco. Gli agnelli, che da vivi valgono quasi niente, una volta macellati diventano cari. Ma allora, a chi vanno i profitti? Agli intermediari e ai macellai, mentre i produttori restano all'asciutto o quasi.

Per forza bisogna simpatizzare con il contadino che fatica e si indebita con le banche per acquistare macchinari e attrezzature, fertilizzanti, pesticidi, mentre i suoi prodotti ricevono compensi inadeguati. John Panizza alza la voce in senato. Anzi, fa il Pavarotti della politica: «canta» ai colleghi le sue rimostranze per tenerli svegli, finché non avranno fatto qualche cosa. Dai suoi dibattiti è nata la mia simpatia. Non l'ho mai incontrato, ma è italiano come me. Quando ho deciso di scriverne, mi è venuta in soccorso Tiziana Zeroni, giornalista *press secretary* del senatore Tumbling, rappresentante del Northern Territory a Canberra. Mi ha descritto così bene John, che mi pareva di averlo conosciuto. Ha avuto cura di inviarmi anche una sua biografia, assieme a una caricatura pubblicata in copertina da «The House Magazine» nel numero di aprile.

Il disegnatore Ed Rollgejser deve avere buona memoria del lavoro e degli indumenti di fatica dei nostri pionieri, che talvolta mischiavano gli abiti tradizionali europei con quelli del mondo in cui erano giunti. Così il senatore è ritratto con gli stivali fin sotto le ginocchia, chiodati come gli scarponi valtellinesi di suo padre Bortolo, classe 1900. Ma la tuta è sorretta da bretelle secondo il costume del mondo rurale *aussie*. Anche la camicia, aperta sul collo, ha qualche rassomiglianza con le camicie di casa: ma quelle dei valtellinesi non erano così stirate.

John è uomo di rispetto. È nato nel 1931 nel bacino aurifero di Southern Cross, in un piccolo centro di ottocento abitanti a quattrocento chilometri da Perth. Il suo volto è sereno, ma l'uomo sa quel che vuole. Niente affatto incline alle teorie e interamente dedito ai fatti concreti. Il padre Bortolo comprò la sua prima fattoria negli anni Trenta, dopo avere lavorato nella fonderia di Port Pirie nel South Australia, nelle miniere di Broken Hill e di Mount Isa nel New South Wales, nei pozzi auriferi di Southern Cross in Western Australia. Era arrivato in Australia nel 1922, tornò in patria nel 1927 per sposare Caterina a Tirano, in provincia di Sondrio.

La fattoria, coltivata a grano e in parte adibita al pascolo delle pecore e delle mandrie, fu per John la palestra di scorribande in sella a un cavallo oppure a una motocicletta. Nella grande distesa pianeggiante, che sembrava fatta apposta per inseguire sogni adolescenti senza confini, John fu creatura felice. Sembra che qui abbia anche cominciato a preoccuparsi della gente, che lavora nei campi dalle prime luci dell'alba.

Ma come fare? Il modo più efficace era quello di entrare in politica, dove è possibile discutere, battagliare, decidere. Si candida per il consiglio comunale di Southern Cross. Vince e serve la sua comunità per tredici anni, cinque dei quali come presidente della contea di Yilgarn, che comprende il suo centro. La trasformazione di John, da contadino ad amministratore pubblico, produce effetti rapidi. Tenta la conquista di un seggio alla Camera alta dello stato del Western Australia, ma fallisce di misura il traguardo.

Per rivincita si prepara allora a scalare, lui di sangue valtellinese, la cima del senato federale a Canberra, come gregario del partito liberale. Ci riesce. E bisogna dirgli bravo, poiché non sono molti i candidati italiani che sfondano nel mondo politico australiano. Tanto meno se sono liberali.

John si prodiga da anni per la gente dei campi e per gli italiani. Specie per quelli che durante l'ultima guerra furono internati, perché ritenuti simpatizzanti fascisti. Non furono molti, solo poche centinaia dei residenti in Australia a quel tempo. Ma il provvedimento fu illegale, devastante per molte famiglie. Quando non è a Canberra, John vola a Southern Cross, dove vivono la famiglia paterna e la sua. Ha due fratelli, tuttora in servizio permanente nella fattoria, e si interessa di comunicazioni radio private. Una passione coltivata dagli anni giovanili, un po' per vincere l'isolamento e un po' per hobby. La sua famiglia manovra dalla propria casa una stazione radio collegata a otto unità mobili, che possono ricevere e trasmettere segnali anche da lunghe distanze. E questo ci fa capire quanto vasta è la fattoria.

Nelle note biografiche è scritto che durante una vacanza solitaria nel deserto di Lasseter's Cave, la prima vacanza dopo tanti anni, poté scambiare messaggi con la moglie Coral e i figli Frank, Janine, Stephen e Linda per mezzo di una delle sue unità rice-trasmittenti mobili. Sembra che sia un *workalcoholic*, un lavoratore indefesso, dotato però di grande cuore. Sono stati i *workalcoholic* europei, del resto, che dagli anni Trenta in poi hanno sospinto la languente economia australiana. Ancora oggi il paese ne beneficia, anche se il listino prezzi balbetta. Ma ritornerà il sole, dicono gli esperti. In Australia e su tutti gli altri paesi del mondo, colpiti dalla crisi economica.

VOCAZIONE ALLA SOLIDARIETÀ DI UNA COPPIA IN AUSTRALIA

Il grattacielo dello State Bank Centre è colossale. Da una pubblicazione pubblicitaria apprendiamo: «Lo State Bank Centre è un nuovo indirizzo per il mondo degli affari in Sud Australia ed è anche una costruzione assai pregevole». Qualsiasi organizzazione volesse sviluppare i propri affari dal Riverside di Brisbane, dal Grosvenor Place di Sydney o dal Rialto di Melbourne, non avrebbe altra scelta ad Adelaide che lo State Bank Centre. Supera il più alto grattacielo cittadino di ventisei metri e ha una veduta panoramica, che si estende dal mare alle colline. È situato strategicamente nel cuore del centro commerciale e finanziario. Unisce l'eredità della tradizione architettonica metropolitana con la tecnologia del futuro, creando un impareggiabile centro abitativo e un accogliente ambiente di lavoro. Una città nella città.

Una simile costruzione deve avere fondamenta solide. E solido pilastro della comunità italiana è colui che tali fondamenta appaltò e realizzò. Si chiama Alberto Sommariva, e come molti altri italiani intraprese la via dell'emigrazione in età giovanissima: prima ancora di fare il servizio militare. Si imbarcò su una delle tante «navi della speranza» e sbarcò in Australia nel

1950. Era cresciuto nell'ambiente sereno della campagna marchigiana, ma l'Australia esercitò su di lui una forte attrattiva. La sentì come la sua terra promessa.

Gli inizi sempre duri, per chi ha soltanto l'aiuto della sua volontà e un forte desiderio di uscire dall'anonimato. Le difficoltà di un ambiente straniero, di una lingua sconosciuta o quasi si aggiungono al peso della nostalgia, dello sradicamento, del passaggio da un ambiente agreste al monotono lavoro della catena di montaggio.

Trascorre due interminabili anni come manovale, per passare poi a un lavoro ancora più faticoso: quello di cementista. Altri tre anni. Dopo gioca la carta nell'imprenditoria. Con ridotta conoscenza dell'ambiente e della lingua, con scarsità di mezzi ma con marchigiana caparbietà, inizia la sua ascesa. Nel 1956 assume un operaio, nel '57 un altro. Nel 1961 ne ha una ventina e nel 1962 impianta un vasto cantiere con attrezzature modernissime. Autocarri, camioncini, betoniere, levigatrici per pavimenti di graniglia, seghe per marmo, saldatrici, compressori. Non è che il trampolino di lancio verso i grossi contratti, che portano la ditta Alberto Sommariva tra le più prestigiose nel campo delle costruzioni industriali.

Ma il successo non ha scalfito la sua innata modestia. Nel riferirci un episodio della sua vita, la voce balbetta per l'emozione, nonostante siano passati tanti anni. «La mamma morì quando ero ancora un ragazzino. Papà portò avanti la famiglia, poi cinque di noi scegliemmo la via dell'Australia. Nostro padre ne risentì profondamente e per quasi vent'anni ogni sua lettera, scritta con mano sempre più tremante, era un accorato appello perché tornassimo almeno una volta a salutarlo. Voleva chiudere la vita terrena con l'immagine dei suoi figli negli occhi e nel cuore».

Non era uno scherzo, a quel tempo, racimolare quanto occorreva per il viaggio in aereo. Ma il richiamo del padre fu più forte di ogni difficoltà e nel gennaio 1966 i fratelli ritornarono a casa tutti assieme. Tanta fu la gioia del padre nel riabbracciarli, che non resistette all'emozione e spirò tra le loro braccia. «La storia ha sapore di fiaba – continua Alberto. – E invece è un brano di vita, che ha lasciato nel mio animo una traccia profonda».

Dopo questa anticipazione affettiva, veniamo informati dell'apporto di Alberto Sommariva alla comunità italiana. Importante è stato il suo contributo alla Casa d'Italia, cioè l'associazione italiana del Sud Australia, della quale fu a lungo membro dell'esecutivo e anche presidente. Appartiene inoltre al Rotary Club del distretto di Campbelltown e due anni fa ha ricevuto un alto riconoscimento dal Rotary International, che gli ha conferito il Paul Harris Fellow con la seguente motivazione: «Come apprezzamento di un tangibile e significativo contributo al progresso e di amichevoli relazioni tra i popoli del mondo».

Come giustamente afferma un vecchio adagio, dietro il successo di ogni uomo c'è la presenza di una donna. Per Alberto Sommariva questa donna si chiama Anita, fedele compagna che gli ha dato un insostituibile aiuto morale e materiale. Raccogliamo dalla sua voce il racconto della vita degli emigrati d'anteguerra. In un inglese addolcito dalle origini italiane ci racconta: «Mio padre arrivò in Australia nel 1927. Proveniva da San Marco dei Cavuoti, in provincia di Benevento. Era sposato da soli due anni e tentò l'avventura, perché non c'era lavoro al paese natale. Ancor meno ne trovò agli antipodi, poiché il mondo si avviava verso una tremenda depressione economica. Non c'era lavoro per gli australiani, tanto meno per gli emigrati dall'Europa. Papà soleva narrare un episodio, che non potremo mai dimenticare. Con altri due italiani, dopo aver vagato inutilmente per l'intera giornata in cerca di un lavoro, bussarono a una porta. Erano affamati e quella era l'ultima risorsa, per trovare qualcosa da mangiare. La signora che aprì, ascoltò con aspetto burbero quanto i poveri diavoli cercavano di farle capire, più a gesti che a parole a causa della scarsa conoscenza della lingua. Alla fine si allontanò senza parlare e ritornò con un osso spolpato di montone, che buttò in faccia ai malcapitati. L'episodio determinò il rientro in patria del mio desolato padre».

Ma forse esiste davvero il male d'Australia, perché dopo sei mesi di permanenza a casa ripartì nuovamente. Rimase in Australia fino alla fine dei suoi giorni e non gli venne più in mente di tornare.

«La mamma e una mia sorellina – continua Anita – raggiunsero papà nel 1933. Io sono nata più tardi, agli antipodi. Sono nata agli antipodi, ma sono fiera delle mie origini italiane: campane per essere precisi». Anita ricorda poi di avere sofferto a causa delle ostilità xenofobe. Ricorda improperi sprezzanti nei confronti degli italiani, dispetti delle compagne di scuola, emarginazione dalle iniziative importanti, incomprensioni... «Acqua passata» afferma.

La sua partecipazione alla vita della comunità italiana iniziò quando aveva dodici anni. A quel tempo il numero delle famiglie in arrivo dall'Italia era in continuo aumento. Cominciò a prestare servizio come interprete per le donne italiane presso gli ospedali, moltissimi anni prima che questo servizio venisse istituito dal governo federale. Oggi i dottori di origine italiana sono in gran numero, ma a quel tempo non era così. «Poi cominciai a riempire moduli di ogni genere, comprese le dichiarazioni dei redditi. Mi venne offer-

127

to da un parlamentare il titolo di "giudice di pace". Accettai, perché avrebbe agevolato la vidimazione di firme sui documenti. Quando mio marito entrò a far parte del Centro italiano, lo seguii, prestando la mia opera. Al momento di lasciare l'incarico, dopo ben diciassette anni, sentii un vuoto».

Allora Anita si iscrisse al gruppo femminile del Rotary, ne divenne anche la presidente. Ma la rigidità del mondo anglosassone non le si addiceva e perciò, quando il comune di Campbelltown le chiese di coordinare le attività degli anziani italiani nella zona, si buttò a capofitto. «Il resto è cronaca – conclude. – Un quasi lavoro volontario a tempo pieno. Il nostro centro ospita a volte oltre cento persone e organizza giri turistici per tutta l'Australia. Non riceviamo fondi da nessuno. Per pagare le piccole spese facciamo le nostre festicciole. Io e le mie collaboratrici siamo felici di essere utili alla nostra comunità».

UNA LUNGA VICENDA
DI RISCHI E DEVOZIONE

Ho una lunga, lunghissima vicenda da raccontare. Una storia iniziata ottantun anni fa, quando sono nato a Castello di Godego, in provincia di Treviso. Una storia che continua ancora oggi, grazie a Dio. E grazie anche a sant'Antonio, al quale mi sono rivolto, affinché intercedesse per me nelle innumerevoli volte in cui la mia vita fu a repentaglio.

Mi chiamo Tarcisio Fogale e vorrei raccontare tutto: le raccomandazioni di mia madre, che fin dai primi anni mi invitava a rivolgermi al Santo di Padova, tutte le volte che avessi avuto bisogno; la mia fede e le pratiche di devozione che, fra giochi e allegre scampagnate con gli amici, riempirono la mia infanzia; le vicissitudini di adolescente, preso da altri interessi ma non dimentico degli insegnamenti materni; a raccontare tutto, dicevo, ci vorrebbe quasi un romanzo. Ma bisognerebbe saperlo scrivere, e poi trovare un editore che avesse il coraggio di pubblicarlo interamente. Mi limiterò quindi ad alcuni episodi, che ritengo sufficienti a testimoniare quanto sia stata importante per me la protezione del Santo. E qualora non fossero sufficienti, invito gli increduli a scrivermi e gliene farò conoscere tantissimi altri, capaci di scuotere anche i più scettici.

Nel marzo dell'anno 1928 affrontai un esame molto importante all'aeroporto del Lido di Venezia: un esame che doveva consentirmi di entrare alle dipendenze della compagnia aerea Transadriatica. Mentre facevo la prova d'arte, avevo davanti a me l'immagine del Santo. Tutto andò benissimo: fui assunto e da allora, per quarantasette anni, lavorai nell'aviazione civile in qualità di montatore idraulico, motorista di volo e secondo pilota. Cominciai a viaggiare moltissimo, per riparare i nostri aerei negli scali di tutta Europa, ottenendo sempre ottimi risultati.

Nel giugno 1936 fui trasferito all'aeroporto di Asmara, in Africa orientale, allora italiana. Nel mese di dicembre dello stesso anno, sulla linea Asmara-Addis Abeba-Gibuti, un aereo dovette atterrare in zona desertica, a venti chilometri da Dire Daua, a causa di una grave avaria. Equipaggio e passeggeri furono raccolti da autocarri militari e condotti in città. Qualche giorno dopo il direttore mi ordina di recarmi sul luogo dell'atterraggio, per recuperare i motori e gli strumenti dell'irrecuperabile aereo.

Parto da Asmara con due specialisti ed un marconista, ai quali, arrivati a Dire Daua, si aggiungono quattro soldati di scorta, poiché la zona era pericolosa. Mentre stavamo lavorando di buona lena, ci sorvola un aereo, il quale ci comunica che intorno a noi vi erano grossi nuclei di ribelli armati, che stavano setacciando la zona. Ci raccomanda di nasconderci e di non fare rumore. La paura era grande, poiché i ribelli ce l'avevano a morte con noi italiani, che avevamo invaso la loro terra. Naturalmente non mancai di invocare il mio Santo e il giorno dopo, quando l'aereo ripassò per controllare la situazione, ci fece sapere che dei ribelli non c'era più traccia. L'avevamo davvero scampata bella.

Alla fine del 1937 fui mandato a Praga, come tecnico per l'assistenza agli aerei di linea della compagnia Ala Littoria. Mi ero sposato da qualche mese, durante una licenza a Venezia, e quindi portai mia moglie con me. A metà aprile del 1939 ci colse di sorpresa l'invasione tedesca della Cecoslovacchia. La direzione mi ordina di rientrare subito a Venezia.

Con qualche rischio di modesta gravità, come quando l'aereo, in cui ero secondo pilota, fu attaccato sulla linea Roma-Tirana, arrivammo fino all'armistizio dell'8 settembre 1943 e alla successiva spaccatura dell'Italia in due: a Sud gli alleati che avanzavano, al Nord la repubblica di Salò, con Mussolini recuperato dai tedeschi. All'aeroporto di Venezia erano rimasti sei aerei: quattro da trasporto civile, due da trasporto militare.

Il 13 settembre il comando tedesco, padrone assoluto di quanto rimaneva dell'Italia, ci ordina di portare tutti gli aerei all'aeroporto di Gorzow, a circa 200 chilometri da Berlino, ma in territorio polacco. Poco prima dell'arrivo, nell'aereo in cui viaggiavio come secondo pilota, scoppia un tubo idraulico. Conseguenza gravissima: il carrello di atterraggio non può uscire. Bisogna atterrare senza ruote: novanta per cento le possibilità di incendio. Il comandante ci ordina di rifugiarci in coda, dove avremmo avuto maggiori possibilità di salvezza. «Nemmeno per sogno – gli risposi. – Resto in cabina con lei. Vedrà che sant'Antonio ci aiuterà». Tutto bene. Grandi ammaccature sull'aereo, ma nemmeno un graffio alle persone.

Trasportati a Berlino, gli equipaggi dei nostri sei aerei vengono rimpatriati. Io e un altro secondo pilota veniamo trattenuti per servizio sulla linea Berlino-Monaco-Venezia-Milano, con comandanti tedeschi. Naturalmente siamo entrambi impegnati con giuramento a non disertare. Furono mesi duri e rischiosi. Trovammo frequentissime turbolenze, bombardamenti alla partenza e all'arrivo, rischi continui di attacchi in volo. Una volta fummo intercettati da un caccia nordamericano, che ci mitragliò ripetutamente. Rimasero feriti il comandante e alcuni passeggeri. Bisognava atterrare al più presto, poiché anche l'aereo aveva subìto alcune avarie. L'aeroporto di Monaco è coperto da una fitta nebbia e il comandante mi ordina di atterrare con visibilità zero. La manovra riuscì, ma l'aereo si arrestò proprio di fronte agli hangar. Sono stato applaudito dai passeggeri, ma io ringraziai in cuor mio il Santo di Padova.

La guerra sembrò interminabile: subii altri attacchi aerei, mi trovai in terribili bombardamenti, specialmente a Berlino; atterrai una volta con l'aereo in fiamme; disertai e mi diedi alla macchia... Corsi insomma tantissimi rischi e ne uscii indenne. Ma nei momenti di pericolo il mio pensiero correva sempre a colui, che mi propiziava l'aiuto divino.

Finita la guerra nel 1945, si comincia da capo. La compagnia Ala Littoria cambia nome e diventa Ala Italia. Nel 1947: Alitalia. Ritornai al mio posto nel settembre 1945: vi erano soltanto tre vecchi aeroplani. Bisognava ricostruire la flotta, anzi costruirne una più grande, perché i tempi stavano cambiando e si prevedeva per il trasporto aereo un grande avvenire. Lavorai duramente in Egitto, per recuperare quarantacinque aerei americani da trasporto, abbandonati in pieno deserto. Poi, quando Ala Italia costituì una compagnia italo-egiziana denominata Saide, fui trasferito alle sue dipendenze e cominciai a volare nel 1947 sulle linee mediorientali.

Nell'ottobre 1948 fui chiamato dal direttore della compagnia, il quale mi disse che era stato firmato un contratto per trasportare in Australia sessanta emigrati italiani. Un volo di oltre ventimila chilometri. Accettai l'incarico di secondo pilota motorista, fiducioso che tutto sarebbe andato bene. Fu un viaggio avventuroso. Meta: Port Darwin. In prossimità dell'arrivo la torre di controllo ci nega il permesso di atterraggio, perché non era giunta l'autorizzazione. Atterraggio forzato in uno spiazzo dell'isola di Timor, per conservare il carburante necessario. Tre giorni dopo otteniamo il permesso via radio; ma la pista improvvisata, oltre a essere secca e polverosa, è lunga soltanto ottocento metri. Decollo da brividi, ma tutto bene. Sant'Antonio mi era vicino.

A Sydney troviamo un telegramma, che ci ordina di compiere due trasporti Saigon-Hong Kong, per salvare alcuni gruppi di missionari minacciati dall'avanzata delle truppe comuniste di Mao Tse Tung. Durante il secondo volo, il motore centrale cominciò a vomitare fiamme. La paura fu grande: si profilava il disastro. «Sant'Antonio, – invocai – se non ci aiuti tu, è finita». Il motore improvvisamente si normalizzò, con immaginabile gioia di tutto l'equipaggio.

Quante cose occorre saltare in questo troppo veloce riassunto di una vita sempre esposta al pericolo. Anche se si trattava di piccoli voli, apparentemente poco impegnativi, l'imponderabile era sempre in agguato. Assai diverse erano allora sia la qualità degli aerei sia l'assistenza da terra. Ricordo, per esempio, un'altra vicenda che poteva finire in tragedia. Nel marzo 1952 la compagnia noleggiò un aereo a due fotografi americani, che volevano riprendere il cratere dell'Etna. Partimmo da Venezia diretti a Roma, ma sopra Perugia, a tremila metri di quota, troviamo un temporale impressionante, con vento di caduta e furiose turbolenze.

In seguito alle forti torsioni dell'aereo, una porta si spalanca improvvisamente, scardinando maniglia e serratura. In quelle condizioni non era possibile pilotare e il rischio di precipitare era imminente. Pregai il Santo e poi, con grande sforzo e rischio ancor più grande, tentai di tirare la porta verso di me. Ci riuscii e con la cintura dei pantaloni l'assicurai alla poltrona. Ancora una volta, scampato pericolo. Il mio debito di riconoscenza, naturalmente, cresceva in proporzione.

Ancora un episodio, l'ultimo del mio racconto, ma non della mia vita, perché voglio lasciarmi lo spazio per qualche breve riflessione. Il 19 gennaio 1954, rientrando a Beirut da Bassora, incontriamo in pieno deserto un forte temporale. Il comandante non si sentiva bene, perciò decise di atterrare nell'aeroporto più vicino: quello di un oleodotto. Giunti in zona, si dovette cercare la pista con i fanali dell'aereo. La visibilità era zero. Al comandante venne un attacco di nervi, non connetteva più. In quelle condizioni non era in grado di compiere alcuna manovra. Allora presi io i comandi, invocai il mio caro Santo e, dopo un paio di sorvoli infruttuosi, colsi in piena luce la testata di pista e con una manovra brusca, dato che non conoscevo lo spazio, atterrai. La pista era molto corta. Riuscii a fermare l'aereo proprio di fronte a una collina di sabbia. Ancora qualche metro e sarebbe stato il disastro.

Siamo nel 1954 e la mia odissea di volo finisce soltanto nel 1975 quando, all'età di sessantacinque anni, andai in pensione. Ometto perciò molte altre «avventure», con la speranza che quelle raccontate siano sufficienti. Molti altri piloti hanno corso analoghi rischi. Sicuramente non ne esiste uno, che non abbia qualche cosa da raccontare. Ritengo però che aver volato in anni in cui assai minore era la sicurezza del mezzo e molto gravi i pericoli della guerra, abbia comportato un supplemento di rischio non indifferente. Ne sono sempre uscito indenne.

Qualcuno potrebbe dire che si tratta di fortuna. Io, che ho grande fede in Dio e sono molto devoto al Santo di Padova, ritengo che si tratti di un aiuto venuto dall'alto. E sono convinto che, senza questo aiuto, sicuramente non sarei stato qui, oggi che ho superato gli anni ottanta, a raccontarvi le mie peripezie.

LE SUE IDEE VOLARONO
LIBERE COME I SOGNI

Gervasio Mercuri, già tagliatore di canne da zucchero nel Queensland, mai si sarebbe immaginato di vedersi fregiare del titolo di «inventore» in South Australia. La vita è proprio imprevedibile. Arrivò a Melbourne nell'aprile 1952, dopo una navigazione sulla rotta Suez, Mar Rosso, Oceano Indiano. Melbourne gli apparve una città meravigliosa, ricca di industrie e di commerci. Le paghe, però, non gli sembrarono tali da farlo arricchire in fretta. Il suo progetto era di stare via dall'Italia alcuni anni e poi tornarvi e sposarsi. Aveva sentito dire che nel Queensland, a Innisfail, i contratti dei tagliatori di canne da zucchero erano favolosi: in un giorno si poteva guadagnare quanto in una settimana a Melbourne.

Innisfail è un paese affondato nelle distese di canne da zucchero. Il lavoro a contratto era duro, massacrante. Le canne, alte quattr metri circa, venivano bruciate per spogliarle delle foglie e per disinfestare il suolo dai rettili e da altri roditori. «Con il miraggio della paga falciavo i lunghi steli con la stessa forza di Popeye dopo una scorpacciata di spinaci» dice Gervasio, alludendo all'eroe dei film per bambini. Stette a Innisfail fino al 1956, ma faceva il pendolare con il South Australia, perché il lavoro di tagliatore di canne durava solo sei mesi l'anno. La raccolta della frutta nella zona del Riverland, distante qualche centinaio di chilometri da Adelaide, lo occupava per gli altri sei mesi, che altrimenti sarebbero stati inattivi.

Nel 1957 ritorna nell'amata Italia. A Latina conosce Giovanna e le propone di sposarla. Giovanna, una bella ragazza laziale, gestiva in proprio un avviato laboratorio per la confezione di maglie di lana. Si dichiara prontissima a sposare Gervasio, ma è titubante a chiudere il suo *business*. Le sarebbe piaciuto restare a Latina con Gervasio, che avrebbe potuto trovare un lavoro a Latina o a Roma. Ma il «mal d'Australia» ebbe il sopravvento sul desiderio di Giovanna. Alla fine la coppia si accorda sul progetto di aprire un laboratorio per la tessitura e per la lavorazione di giacche da uomo, abiti da donna e indumenti sportivi nella città di Adelaide, che contava già un milione di abitanti. Ma per quanto resteremo, chiedeva Giovanna. Al massimo due anni, la rassicurava Gervasio.

I due anni si moltiplicarono molte volte, e la piccola industria di abbigliamento fu subito un successo economico. Che aumentò ulteriormente, quando Gervasio e Giovanna decisero di convertire la fabbrica di confezioni in una fabbrica per la produzione di reti per salumifici. I tre figli sono tutti laureati: Enrico in lettere e lingue, Ennio in architettura e July in lettere. Tutti e tre collaborano alla fabbrica paterna, con un apporto di entusiasmo e di capacità notevoli. Il laboratorio impiega qualche decina di persone ed è dotato di macchine modernissime. Visitando i salumifici che utilizzavano le sue reti, Gervasio osservò che le operazioni dovevano passare attraverso diverse fasi di lavorazione, tutte molto lente perché fatte manualmente. Allora pensò di ideare una macchina che avrebbe consentito di produrre di più, riducendo i costi.

Da una rapida inchiesta seppe che non esisteva sul mercato una macchina del genere. «Provo io» si disse Gervasio, che disponeva di un buon bagaglio di nozioni pratiche, ma non di conoscenze tecniche. L'amico Walter Bellon, ex meccanico alla Ferrari di Modena, si offrì di collaborare. Dopo qualche anno di lavoro e molte spese nasceva il prototipo. Era ancora imperfetto, ma fu presentato alla mostra di Monaco di Baviera, edizione 1987. Gervasio eliminò molti difetti, lavorando giorno e notte per essere pronto all'appuntamento. Alla mostra la sua macchina ebbe successo: la giuria gli assegnò il «III International Award for technological Innovation».

Incoraggiato dal buon esito della prova, progettò un secondo prototipo, ancora più ricco di prestazioni e altamente automatizzato. Il terzo modello, completato dopo due anni di intenso lavoro, è un gioiello di meccanica ed elettronica. La macchina riveste automaticamente di guaina sintetica la pasta di carne, fa il vuoto all'interno per una più lunga conservazione, incapsula il salume con una rete elastica, applica una clip di chiusura, avvolge il cappio di spago da un lato per poter maneggiare l'involto, che viene poi scaricato in un deposito. L'intera lavorazione richiede non più di venti secondi, con un risparmio di parecchi minuti rispetto al vecchio metodo. In più la macchina impiega un solo operatore, contro i sei che venivano usati precedentemente.

L'invenzione ha suscitato scalpore nel mondo industriale. Sono molte le delegazioni di tecnici, che vogliono esaminarne le possibilità di impiego nelle industrie australiane, europee e americane. Una commissione americana ha perfino chiesto l'esclusiva di produzione in America. Gervasio è determinato ad affidare la produzione delle varie parti a ditte specializzate australiane, riservandosi il diritto dell'assemblaggio presso la sua piccola azienda.

Oggi Gervasio finalmente «respira». Arrivava ogni mattina al suo laboratorio verso le quattro e rientrava a casa in tarda serata. Così, per oltre due anni. Dalla sua terrazza si vede la città intera. È come volarci sopra con l'immaginazione. Da qui le sue idee hanno volato libere come i sogni, prima di atterrare nella concretezza dei fatti. Ma gli atterraggi nel campo del suo laboratorio sono stati quasi sempre vissuti, sofferti. Per questo «l'arrivo» oggi gli dà maggiore gioia.

ANZIANI AL SOLE
NEI PARCHI DI BROOKLYN

Il parchetto «Ciccarone», che si estende sul lato destro della chiesa del Monte Carmelo, d'inverno è tetro, deserto; ma d'estate pullula di vecchi, di giovani e di bambini. È diviso a metà da un recinto, e un grosso cancello rende le due parti intercomunicanti. La zona riservata ai giovani, cui si accede dal lato di Arthur Avenue, è di costruzione recente: vi sono campi di tennis, di palla a volo, di basket. In un angolo sono sistemati giochi per i più piccini: altalene, scivoli, slitte e funi per arrampicarsi. È tutto un fervore di vita, di entusiasmo e di spensieratezza.

Nella parte riservata agli anziani, all'ombra di secolari querce palustri, si vedono pochi tavoli e poche panche di legno, corrosi dalle intemperie e bruciacchiati dai falò notturni dei vagabondi. Il parco è circondato da un muro alto oltre un metro e sormontato da una ringhiera di ferro battuto. In un angolo c'è una rudimentale conca metallica che, nell'intenzione dell'artefice, doveva essere una piscina per bambini.

Attorno ai tavoli, riparati dal sole, si riunivano e si riuniscono tuttora gli anziani del luogo. Formano crocchi e, per passare il tempo, parlano, gesticolano, discutono di tutto ciò che viene loro in mente. Qualcuno si improvvisa politicante, analizza questioni e le risolve a modo suo. Qualche altro, magari pseudoletterato, parla dell'Italia e dei suoi mali. Pochi ne dicono bene. Molti fumano la pipa e in pochi minuti riempiono di sputi lo spazio ai loro piedi. La maggior parte preferisce sedersi sulle panche e giocare a briscola o a tressette. Litigano e si arrabbiano, se il compagno sbaglia a rispondere alle chiamate. Si portano il broncio per giorni, proprio come fanno i bambini.

Quando, sul più bello della partita, qualche palla supera lo steccato e va a sbattere contro di loro oppure sui tavoli sparpagliando le carte, allora scoppia il finimondo: e gli improperi tra vecchi e giovani giungono fino alle stelle. E tutto perché? Perché i giovani non sopportano i vecchi e i vecchi non sopportano i giovani. Cosa antica. Ma dove possono andare quei poveri vecchi? In paradiso, forse?

Sono poveri emigrati, provenienti dalle regioni e dai paesi più poveri della nostra penisola: dalla Sicilia, dall'Abruzzo, dalla Campania. Tutti analfabeti, tutta gente superstiziosa. Appena sbarcavano dai piroscafi dei loro tempi, dopo quindici o venti giorni di navigazione, venivano reclutati in massa dai datori di lavoro irlandesi o tedeschi; e costretti, come schiavi, a fatiche disumane. Percepivano una misera paga; molti morivano per infortuni sul lavoro. Qualcuno, magari, veniva anche ammazzato: fatto precipitare da qualche impalcatura, sepolto nelle sotterranee, perché non era ben visto, perché creava noie, perché disturbava i capoccia locali.

Eppure la città di New York è stata edificata soprattutto con il sudore della nostra gente. Ora eccoli là, quei poveri vecchi: ridotti a larve umane, gli arti rattrappiti dall'artrite, le mani di piombo, con una misera pensione di vecchiaia.

Scendeva quasi tutti i giorni dalla strada di Bathgate Ave con un grosso pastore tedesco a guinzaglio, e si univa a loro, un ultraottantenne di nome Antonio Caputo. Era napoletano, emigrato settant'anni prima, quando aveva appena quindici anni. Giunto nel parco, si sedeva su una panca, sempre al solito posto; legava il cane a un albero, salutava a volte sì a volte no, e sprofondava in un silenzio smemorato. Accendeva un sigaro toscano e si appisolava.

Non giocava a carte, ma a volte gli piaceva assistere alle partite. Dopo un po' il cane cominciava a guaire, perché non voleva più stare legato. Allora lo scioglieva e lo conduceva a fare un giro per il parco. Verso l'una, mettendo a stento un passo dopo l'altro, cane e padrone si avviavano verso casa.

Era un tipo lungo e macilento, con la faccia scarna, calvo. Aveva sopracciglia folte, naso grosso e schiacciato. Portava una cicatrice sulla fronte per un incidente di lavoro, e camminava curvo per le grandi fatiche di gioventù. Abitava nella vecchia strada di Bathgate Ave, in una casetta di sua proprietà, con un ampio giardino e una folta recinzione arborea. Un tempo il giardino era coltivato a ortaggi e fiori, ma ora non più perché le forze gli mancavano.

Si era sposato due volte: dalla prima moglie, morta prematuramente, aveva avuto tre figli, ma nessuno conviveva con il padre. Qualche anno più tardi aveva deciso di riprendere moglie, e questa fu la causa maggiore della sua rovina. Certamente non avrebbe fatto un tale passo, se i figli fossero stati più grandicelli. Invece si trovò di fronte alla necessità di dare una madre a quelle povere creature. Chi avrebbe badato loro, quando egli usciva presto la mattina per trovarsi in tempo sul lavoro? Così al secondo matrimonio fu quasi costretto.

Nel giro di qualche anno quell'anima dannata della seconda moglie sperperò tutti i suoi risparmi e gli vuotò la casa di ogni cosa. Fece sparire perfino i chiodi dai muri. Quando vide che non c'era più niente da rubare, lo abbandonò e si trasferì in un'altra città. Il poveretto rimase con i tre figli, non più in tenera età ma nemmeno grandi. Durante il periodo della depressione fu disoccupato per molto tempo e più volte sul punto di vendere la casa. Infine trovò lavoro e si aggiustò ogni cosa. I sacrifici furono tanti. I ragazzi studiarono tutti e tre, ma appena sposati andarono via di casa. Uno dopo l'altro.

Ora, diventato vecchio e rimasto solo, non aveva altro che la compagnia del cane. Perché tanti sacrifici? Non avrebbe potuto godersi la vita come l'amico Veny, scapolo di professione e tuttora in buona salute, sempre lindo e arzillo come un giovanotto?

D'inverno no, perché faceva molto freddo, ma d'estate cane e padrone facevano tante passeggiate al parchetto, lungo il viale, nel giardino botanico, nel verziere, in altri posti. Sui marciapiedi la gente si scostava al loro passaggio, eppure quella bestia era docile come un bambino. Era alto più di un metro e aveva il pelo lucido come un cavallo strigliato, le orecchie dritte come i pastori tedeschi e le gambe robuste. Era inoltre intelligentissimo.

Quando tornava a casa dalle passeggiate, come prima cosa il vecchio preparava la pappa al cane nell'apposito catino. Finito il suo pasto, l'animale andava a correre nel prato, abbaiava per la contentezza, fiutava ogni cosa. Con gli altri animali era amichevole, fuorché con i gatti. Quando ne scopriva qualcuno, si avvicinava piano piano, cercando di non farsi vedere. Come arrivava vicino, gli saltava addosso abbaiando. Una volta ne sbranò uno, a un altro mozzò la coda.

Quando il padrone scendeva e si sedeva sulla sedia sotto il ciliegio, gli si coricava ai piedi e gli poggiava il muso su una scarpa. Era scaltro: abbaiava solo quando era necessario. Se qualcuno si accostava al cancello, faceva un baccano del diavolo. Ma se c'era il padrone, taceva.

Caputo non si muoveva di casa, se non era in compagnia del suo amico. Quando si recava dal medico, invece, andava solo. L'animale lo seguiva fino al cancello, poi tornava indietro e il vecchio gli diceva: «Ora fa' il bravo, io torno presto». Il cane sembrava capire, dava due o tre latrati e andava a coricarsi davanti alla porta.

Il vecchio rientrava dopo un'oretta e, prima che apparisse sulla strada di Bathgate Ave, l'animale lo aveva già fiutato. Muoveva la coda dalla gioia, in segno di festa; saltava, correva da un punto all'altro del giardino e faceva mille capriole. Lui finalmente lo vedeva, alzava il bastone, sorrideva sotto i baffi e pian piano rincasava. Sedeva allora sulla sedia, al solito posto, e raccontava ciò che gli aveva detto il medico: «Signor Caputo, la pressione è alta, ma non tanto; il sale lo deve eliminare completamente. Niente liquori e vino. Con il diabete andiamo meglio, è sceso a livello normale. Ma pane sempre pochissimo, appena una fetta durante i pasti e verdura cotta tutti i giorni». Terminava sempre con la solita frase: «Questi medici sono tutti uguali, vogliono solo soldi ma non capiscono niente».

L'animale lo guardava con gli occhi lucidi e furbi come quelli di un lupo; aspettava che pronunziasse l'ultima parola e, per fargli intendere che aveva capito, accostava il muso alla sua mano e la leccava.

Ma una notte di ottobre del 1979, non si sa per quale ragione, il cane dormì fuori, legato a un arbusto. Abbaiò tutta la notte, disturbando il vicinato. La mattina dopo, alle nove, l'amico Veny suonò il campanello, ma nessuno venne ad aprire. Dopo mezz'ora un altro vicino bussò alla porta e nemmeno questa volta ci fu risposta. Telefonarono alla polizia. Verso le undici giunsero due agenti, forzarono la porta e trovarono l'uomo riverso sul pavimento della cucina. In pochi minuti arrivò l'autoambulanza dell'ospedale St. Barnabas, caricarono il cadavere e, fatti gli accertamenti legali, esposero la salma alla casa funeraria Botti, sulla 188ª strada. Vi rimase un giorno solo. Dopo il rito funebre fu tumulata nel cimitero di St. Raimondo, nel Bronx.

Il cane continuò a guaire tutto il giorno, fin verso la sera. Una donna del vicinato, amica di famiglia, gli portò qualcosa da mangiare e dell'acqua, ma l'animale bevve soltanto. Durante la notte ruppe il guinzaglio e scappò via. Il giorno dopo lo cercarono per un po', poi nessuno si curò più di lui. Tre giorni dopo vennero dalla California i figli del defunto, ma più per prendere possesso della casa che per la morte del genitore.

Nello stesso giorno si recarono da un legale e divisero la proprietà. Il pomeriggio del giorno seguente si fecero accompagnare da un vicino al cimitero, per vedere dove fosse stato sepolto il vecchio. Si fermarono con l'automobile un po' discosto dalla tomba e si avvicinarono pian piano. Giunti vicino, sulle zolle già secche trovarono il cane disteso, morto di dolore qualche giorno prima.

UN NATALE TRAGICO
NEL DESERTO AUSTRALIANO

Tra gli anni Cinquanta e Sessanta ho vissuto a lungo nel deserto del centro Australia. Estraevo la mica a una profondità di trenta metri e vedevo molto poco la luce del giorno. Ero ormai abituato a orientarmi nelle tenebre con il lume della lampada a carburo, e avevo imparato a usare il piccone e la pala nelle posizioni più disparate. Per questo qualcuno, ancora oggi, mi chiama «sorcio del deserto».

Il mio nome è Gino Basso. Arrivai ad Adelaide nell'agosto 1950. Conoscevo solo poche parole di inglese: *yes, water, good day*. L'Eldorado, a quel tempo, erano le miniere del Centro Australia, attorno ad Alice Springs: si guadagnava bene, lavorando duro. Il mio progetto era fare soldi in fretta, ritornare al paese in Italia, sposarmi e avviare un'attività redditizia. Avevo ventidue anni.

L'aereo per Alice Springs partiva l'8 agosto alle cinque del mattino, da un aeroporto secondario. C'erano pochi passeggeri in attesa alla stazione. Come avrei fatto, con il mio inglese striminzito, a chiedere se avevano la mia stessa meta? Mi misi quieto in un angolo, cercando di cogliere qualche parola. A un tratto vidi la gente prendere i bagagli e avviarsi verso un Dc 3 dell'ultima guerra, trasformato per trasporto passeggeri.

Presi anch'io la mia valigia e, seguendo la fila, salii sull'aereo. Era diretto ad Alice Springs? Avevo il cuore in gola perché, tra l'altro, era la prima volta che volavo. E su una carretta del genere... I miei occhi giravano da un finestrino all'altro come periscopi di sommergibile, scrutando ogni segno in cielo e in terra. Attorno a me, tutti muti. Il vento faceva sussultare le ali, ma poiché gli altri stavano calmi, soffocavo anch'io la mia eccitazione.

Eravamo in volo da oltre due ore e stava spuntando l'alba. Notai che l'aereo scendeva e sentii la hostess pronunciare alcune parole. Evidentemente l'invito ad allacciare le cinture di sicurezza. Già arrivati? mi chiesi. Purtroppo no. Eravamo solo a Leigh Creek, centro carbonifero a circa 600 chilometri da Adelaide. Gli inservienti scaricarono merci e giornali, poi l'aereo decollò un'altra volta. La seconda tappa è un villaggio di poche case. Approfitto della breve sosta e mi faccio coraggio. «Water?» chiedo a un passeggero, riferendomi al gabinetto.

Questi mi squadra dall'alto al basso e mi chiede qualcosa che non capisco. «Italiano» gli dico, supponendo di avergli risposto a tono. «Te xe talian. Da dove?», mi sento chiedere. «Da Asiago, Vicenza». Lascio immaginare il sospiro di sollievo, udendo il mio dialetto. Si chiamava Gianni. Finalmente potevo parlare a ruota libera e chiedere se l'aereo andava ad Alice Springs. Certo che ci andava, e sarebbe arrivato entro breve tempo.

Atterriamo dopo sette ore di volo. Di mio cognato, cui avevo scritto di venirmi a prendere, nessuna traccia. Così saliamo su una vecchia corriera, che forse apparteneva ai tempi del capitano Cook. Mio cognato non c'era nemmeno alla fermata del paese. Ma Gianni mi rassicurò: «Se nessuno si fa vivo, vieni a lavorare con me nelle miniere d'oro, 500 chilometri a Nord». Andammo al pub: «Dopo un paio di pinte di birra la testa funziona meglio e prenderai coraggio» disse per tranquillizzarmi. Il pub pareva un locale del Far West: il fumo vi stagnava denso e la gente vociava in tutte le lingue. Gli avventori, tutti minatori, sfoggiavano cappelli a larghe tese e alcuni avevano il fucile a tracolla.

Il paese non era male. La gente andava per i fatti suoi svelta e seria. Solo qualche donna e qualche vecchio abbozzavano un sorriso e un saluto in inglese. Oggi, a tre decenni di distanza, le cose sono molto cambiate. Il paese è diventato una cittadina, le case sono più fitte, più numerose e più grandi. E le strade sono percorse da tante auto e affiancate da negozi moderni e affollati. C'è perfino un casinò dove la gente va a farsi ripulire le tasche; e una importante base di ascolto americana, collegata con tutto il mondo.

Gianni chiedeva a tutti i suoi amici se avessero visto mio cognato o mia sorella. Finalmente uno rispose: «Sì, sono qui fuori». Erano arrivati in ritardo all'aeroporto, e anche loro mi stavano cercando.

Volevo recarmi al lavoro il giorno dopo, invece dovetti soggiornare in hotel per due settimane. Il periodo di riposo era una vecchia abitudine dei minatori, che dal deserto giungevano ad Alice Springs ogni quattro o otto mesi, per vendere ciò che avevano trovato e fare gli acquisti per i mesi successivi.

Un mattino partimmo verso il deserto con il camion di mio cognato. Della comitiva facevano parte anche mia sorella e un tale di nome Lodovico con la moglie, nati entrambi in provincia di Belluno. Il viaggio fu massacrante, oltre che lunghissimo. Ero sistemato nel cassone e la polvere era così densa, che dovetti tapparmi bocca e naso per non essere soffocato. Scesi dal camion alle sette di sera, dopo tredici ore di sofferenza, e pensai con spavento alla solitudine di cui avrei sofferto e alla lontananza da ogni centro abitato, qualora mi fosse capitato qualche malanno.

Dormii nella mia tenda, e gli altri fecero altrettanto nelle loro. Sarebbe stata la mia casa per nove anni. Il giorno dopo costruimmo una baracca, che doveva funzionare da cucina. Il posto era arido: tutto intorno c'era un mare di steli secchi, su cui pascolava il bestiame di una fattoria lontana una ventina di chilometri. Nella fattoria c'erano alcuni giovani vaccari con una radio.

Il cielo era coperto di nuvole per lunghi mesi dell'anno, ma si tingeva di cobalto durante il giorno e vibrava di luci la notte. Quando pioveva, le gocce erano grosse come perle. Si lavorava sottoterra, a trenta metri di profondità, cui giungevamo calandoci dentro un recipiente di lamiera. In fondo al pozzo si scavava lungo una vena di mica e il materiale, vitreo e trasparente, veniva inviato in superficie con lo stesso cilindro con cui eravamo scesi. Era un lavoro duro, con poca aria e grande fatica. Ma alla sera, quantunque fossimo stanchi, cantavamo canzoni di montagna o d'amore e parlavamo dialetto. I pensieri in libertà volavano verso casa, dove aspettavano le nostre ragazze o le nostre spose.

La temperatura saliva anche a 45 gradi in certi giorni d'estate, ma l'acqua era potabile. La aspiravamo da un pozzo lontano diversi chilometri; mentre raccoglievamo l'acqua piovana in una cisterna di lamiera, collegata alla grondaia della baracca. Per mantenere le bottiglie di acqua e di vino fresche, le avvolgevamo in calze bagnate e le appendevamo a un ramo d'albero: l'evaporazione, sottraendo calore alla calza, rinfrescava la bottiglia. Il nostro frigorifero era costituito da una cassa di legno grande, che ne conteneva un'altra piccola, dove riponevamo i cibi. Lo spazio tra le due casse veniva riempito con carbone bagnato, e il tutto coperto da sacchi umidi. I cibi si mantenevano abbastanza freschi, o almeno non deperivano presto.

Facevamo anche il pane, ma il problema era come produrre il lievito. Ecco il sistema che escogitammo: prendevamo una patata grande come un uovo e la tagliavamo in pezzetti; aggiungevamo due cucchiai di zucchero e un cucchiaio di farina bianca, insieme a un pizzico di luppolo secco; facevamo bollire il tutto per venti minuti, poi setacciavamo l'impasto, lo mettevamo in una bottiglia e lo lasciavamo fermentare per un giorno. Una bottiglia di tre quarti di litro basta per due infornate. E il forno? Un buco scavato nel terreno e riempito di legna, cui davamo fuoco. Sopra le braci si metteva un recipiente di metallo, riempito con impasto di farina e lievito, lavorato per alcuni minuti. Ma se debbo dire la verità, non ho mai mangiato pane più buono di quello.

L'unico contatto con i nostri familiari passava attraverso le poche lettere, che ci pervenivano ogni quindici giorni tramite un piccolo aereo chiamato «Mirror Finish». Il servizio era regolare, tranne quando pioveva. Ma per raggiungere il campo, dovevamo camminare alcune ore. Oppure andare con il camion, quando il terreno era solido.

Si avvicinava il Natale dell'anno 1950. Quel periodo lo ricordo bene: la nascita di Gesù coincise con la morte di Lodovico, il nostro amico bellunese. Gli aborigeni, che sapevano interrogare le stelle e interpretare i profumi dell'aria, ci dissero che sarebbe caduta tanta pioggia. Avevano osservato le formiche, che si rifugiavano nei luoghi più elevati. E infatti il soffitto della nostra baracca in quei giorni era brulicante di insetti.

Il 13 dicembre cominciò a piovere: prima timide gocce, poi sempre più grosse e più fitte, e infine si aprirono le cateratte del cielo. I torrenti secchi divennero fiumi, le miniere si riempirono d'acqua, il deserto si trasformò in una serie di laghi. Ci rifugiammo nella baracca e per diversi giorni fummo come formiche in mezzo alle formiche vere, che pareva si fossero date appuntamento nella nostra capanna.

Lodovico cominciò ad accusare dolori al ventre. La moglie e noi gli preparammo infusi d'erbe, lo nutrimmo con cibi leggeri, parlammo sottovoce per farlo riposare. Passammo un Natale nel fango, con mille pensieri per la testa. La notte della Natività pregai il Divino Bambino di aiutare Lodovico: «Anche tu sai cos'è una capanna con un bue e un asinello. Noi, con le formiche, stiamo ancora peggio. Tu almeno avevi i genitori vicini: i nostri sono lontani. Non abbiamo medicine da dare a Lodovico, che soffre e si contorce dal dolore. Che cosa dobbiamo fare?».

Le bottiglie, preparate per celebrare le festività, erano di qualità. A noi, sfiduciati e impauriti, sembrarono aceto. Lodovico non migliorava. Anzi. Decidemmo di chiamare il Flying Doctor Service, che aveva sede ad Alice Springs. Si tratta di una istituzione unica al mondo, nata nel 1911 per opera del reverendo John Flynn, pastore presbiteriano. È un servizio di assistenza medica, riservato a quanti lavoravano nelle miniere o nelle fattorie, in zone lontane dai centri abitati. Oggi, con i moderni aerei e la scelta dei centri strategici di intervento, non c'è posto che non sia raggiungibile in due ore. Si fa prima a chiamare un medico del

Flying Service, che non farsi visitare da uno specialista in città.

Ma allora dovemmo correre alla stazione radio della fattoria. Parlammo con il medico di servizio, che ci diede istruzione per un'assistenza immediata. Poi parlammo con il pilota, che chiese notizie sullo stato della pista, purtroppo disastroso. Decidemmo di tracciare un nuovo percorso, su terreno più solido. Però non fu possibile livellarlo e il pilota riuscì ad atterrare solo al quarto tentativo. Con il motore acceso, caricammo Lodovico e la moglie.

Ogni cura fu però inutile: il nostro amico si spense il 7 gennaio, per un attacco di peritonite. Oltre alla moglie, lasciava due figli: uno di due e uno di tredici anni. Era il giorno successivo all'Epifania, i bambini del mio paese certamente erano ancora eccitati dai regali ricevuti. I due figli di Lodovico, invece, avevano perduto il loro padre.

ITALIANI A BROOKLYN

Don Italo Barozzi, nato a Rovereto nel 1939, ha compiuto i suoi studi nel seminario torinese della Consolata. Ha studiato lingua e letteratura a Londra, e altrettanto a New York. Una preparazione culturale di prim'ordine, che si è aggiunta alla cultura teologica degli anni di formazione religiosa. Ma studiò anche giornalismo e diresse per cinque anni il periodico «Missioni Consolata». Ormai «piazzato» negli States, ha fatto il corrispondente da New York per vari giornali. Ma ha lavorato anche come pastore con le minoranze etniche sudamericane e quindi con gli italoamericani di Brooklyn. Da missionario della Consolata è diventato sacerdote «incardinato» nella diocesi di Brooklyn e di Queens.

Venticinque anni di sacerdozio, quasi altrettanti di missione. Una scelta decisa a stare accanto a chi vive lontano dalla propria terra, nella quale la vocazione pastorale e la vocazione culturale si arricchiscono reciprocamente. Ma quale fu la molla prima, che lo spinse così lontano dal Trentino? «Quando avevo dodici anni conobbi un missionario, amico di mio padre, che mi incantò con i suoi racconti. Poi ne ho conosciuto un altro, che arrivò a Rovereto direttamente dal Brasile. Il suo entusiasmo, il suo amore per i poveri, la sua partecipazione alle miserie di un grande e sfortunato paese, hanno conquistato il mio cuore e la mia fantasia. Volli essere, come lui, accanto a chi vive come uno straniero: lontano dalla società o dal paese in cui è nato».

A New York gli italiani non soffrono più di emarginazione. Da tanti anni ormai. Ma non hanno smesso di soffrire per la lontananza. «Il 90 per cento dei nostri emigrati proviene dalle regioni meridionali; esigua è la minoranza che proviene dalle regioni settentrionali. Tutti sono molto attaccati alla religione, alla lingua, alle tradizioni delle loro origini, ma con notevoli differenze di qualità. In campo religioso i meridionali privilegiano la devozione ai santi, anzi al santo particolare della propria città o del proprio paese; mentre i settentrionali hanno un culto più ampio: Dio, la Vergine, la chiesa... In campo culturale la situazione è analoga: i primi coltivano lingua e tradizioni regionali e locali; i secondi hanno una maggiore disponibilità ad assumere la dimensione nazionale».

L'emigrazione italiana, nella sua globalità, ha avuto grande influenza nella città di New York, ma anche in tutti gli stati del New England. «New York è stata costruita dagli italiani – conferma don Italo. – L'impronta italiana nella città è molto profonda. Molto meno profondo, purtroppo, è invece l'influsso culturale». Il successo economico degli italiani nello stato di New York è vistoso. Sono giunti poverissimi, con uno scarso o scarsissimo bagaglio culturale. E tuttavia in pochi anni, lavorando accanitamente e risparmiando ancora di più, hanno realizzato vere e proprie fortune. Maggiori di qualsiasi altra etnia. «Faccio un esempio. Nella zona ci sono circa duemila famiglie trentine: ciascuna ha la casa di proprietà, magari una

seconda e una terza. E avere la casa significa possede
re un patrimonio. Ma poi ci sono i conti in banca; e
infine il lavoro. Avere un mestiere è una garanzia di
vita tranquilla. Chi fa l'idraulico o il falegname o l'edile guadagna molto, può vivere agiatamente e mandare
i figli all'università. E così le nuove generazioni rag-
giungono alti livelli: i figli e i nipoti diventano medici,
avvocati, professori, letterati...».

Da una parte ci sono quindi gli anziani, che frequentano le loro associazioni, giocano a carte, parlano
il loro dialetto e ricordano i tempi andati. Dall'altra ci
sono i giovani, che vivono interamente la realtà e la
cultura americane, tuttavia considerano l'eredità italiana parte del loro patrimonio morale. «Godono i
frutti di due civiltà, grazie all'intraprendenza e alla
laboriosità dei loro padri. Questa è la migliore integrazione. «Per la mia esperienza, l'italiano vive in
America con il corpo ma ha lasciato il suo cuore in
Italia. Perciò ha nostalgia della sua terra, del suo dialetto, dei suoi parenti. E tornano non tanto raramente, per ritrovare tutto questo e ripercorrere i luoghi
nei quali hanno trascorso la loro infanzia. Si tratta di
un legame profondo, che non si intiepidisce nemmeno
di fronte alla lunghezza del viaggio e al costo sempre
più alto del biglietto aereo».

Un altro punto fermo della società italo-americana
è la famiglia. «L'italiano crede molto nei valori della
famiglia: della propria casa, del padre, della madre,
dello stare insieme. La famiglia italiana è una realtà
unica negli States, anche se è fortemente insidiata dal
divorzio, dalla convivenza della coppia senza il sacra-
mento del matrimonio, dalle differenze generazionali.
Esiste questa conflittualità fra un valore di fondo acquisito e trasmesso attraverso le generazioni, e i prodotti di una società scettica ed egoista qual è quella

155

attuale. Allora è importante invertire la rotta, e recuperare i valori di un passato più civile, più umano del presente. Per noi preti è importante ritornare, ma con una marcia in avanti, ai valori del passato: l'educazione dei figli, l'attenzione alle loro esigenze e al modo in cui vivono, il sacrificio per la loro qualificazione sociale e umana... I figli, se educati, sanno valutare quanto i genitori fanno per loro».

La considerazione di don Italo è molto positiva. Esprime la convinzione che i figli apprezzino i valori morali più della ricchezza materiale. Diversamente da quanto succedeva in passato. Ma l'apprezzamento va oltre, poiché questa «preferenza dei valori» da parte del giovane comprende anche i valori espressi dall'insegnante, dal sacerdote...

Ma che cosa offre la parrocchia italiana a questa tendenza indubbiamente consolante, sia nel versante umano sia in quello spirituale? «La parrocchia di San Domenico, in cui vivo da quasi tre anni, è situata in una zona fondamentalmente italiana di Brooklyn. La popolazione è costituita principalmente da siciliani, pugliesi e napoletani, circa 2500 famiglie assai legate alla propria chiesa e alla propria tradizione. Noi operiamo su tre direttrici: religiosa, sociale e culturale. Nella prima cerchiamo di coltivare le tradizioni trasferite dall'Italia. L'italiano ama la sua chiesa, ma la vuole anche addobbata degnamente e arricchita dalla presenza dei suoi santi. Ama le cerimonie e le processioni: non come esteriorità, ma come espressione pubblica della propria fede. Quindi c'è una nutrita partecipazione a tutte le celebrazioni. Quelle di sant'Antonio, per esempio, convocano l'intera comunità, poiché si tratta di un santo universale: adulti e giovani insieme. Naturalmente è nostra preoccupazione riportare al più genuino sentimento religioso ogni manifestazione, liberandola dai suoi eventuali aspetti folcloristici o coreografici. La direttrice "sociale" coltiva invece le tradizioni italiane dei grandi pellegrinaggi e dei grandi banchetti collettivi. Nel New Jersey c'è un santuario antoniano. Un paio d'ore di strada. È meta di tre, quattro pellegrinaggi annuali. Sono molte le parrocchie della zona che si uniscono, e così si formano grandi gruppi di devoti con trenta o quaranta preti. Sono manifestazioni veramente importanti, partecipate, commosse... Riscopriamo in esse l'animo antico della nostra gente, il suo attaccamento alla fede che sempre ha offerto grande sostegno nei momenti difficili della vita. Terza direttrice: l'attività culturale. Gestiamo scuole, oppure collaboriamo dove si insegnano la lingua e la cultura italiane. La frequenza non ha frontiere: insieme con il giovane italo-americano, che vuole imparare o perfezionare la lingua dei propri padri, ci sono tedeschi, polacchi, olandesi e naturalmente americani, che desiderano conoscere una lingua e una cultura importanti per molte ragioni. Sono occasioni per ampliare e favorire gli incontri, per offrire alle diverse etnie un terreno comune qual è quello della conoscenza. A complemento dello studio c'è la proiezione di film e di documentari, che rafforzano la conoscenza di cose italiane».

La parrocchia di San Domenico è quindi un luogo di promozione religiosa, culturale e sociale. Per gli italo-americani, ma non soltanto per essi. Vi trovano ospitalità anche alcune delle numerose associazioni italiane di Brooklyn, a carattere formativo, culturale e sportivo. Tra parrocchia e associazioni si crea così una collaborazione feconda, i cui scopi principali sono la crescita dei valori umani e la fedeltà a una tradizione italiana, che costituisce comunque un patrimonio imprescindibile.

TROVAI LA SECONDA PATRIA GIUNGENDO IN CANADA

Era l'estate 1960 e, in mezzo a una ventina di braccianti, mi trovavo anch'io a zappare gli agrumeti e i vigneti nelle zone di Tavolaria, in provincia di Reggio Calabria. Avevo appena diciassette anni e lavoravo come un adulto, per procurarmi la pagnotta. La paga era soltanto di 860 lire al giorno. Assolutamente inadeguata alla fatica e all'impegno. Allora pensai di emigrare e nell'agosto 1960 mi recai in Germania. Ero troppo giovane e molto immaturo per affrontare i problemi e le difficoltà che la mia decisione comportava.

Lasciai il paese con dolore. Ma nello stesso tempo ero contento di partire, perché speravo di trovare un mondo nuovo. Incontrai invece molti ostacoli e finii per condurre una vita malinconica, pensando costantemente ai genitori in Calabria. Venni a contatto con una realtà diversa dalla nostra, con persone sconosciute, con una lingua difficile da comprendere. E così pensavo sempre alla mia terra calda e piena di sole, dove ero nato e avevo avuto l'amore dei genitori.

Il primo anno di emigrazione fu molto duro. Lavoravo in una impresa di costruzioni stradali e abitavamo in sei in un vagone, con una piccola stufa e sei

158

brande di legno. Dovetti abituarmi a quella vita, e non fu facile. Ma credo che non sia stato facile per nessun migrante lasciare il paese d'origine e partire per un destino ignoto, con la vaga speranza di trovare un po' di fortuna. Mi trovai ad affrontare una cultura sconosciuta, una mentalità diversa. Anche a questo dovetti abituarmi; ma senza perdere la mia mentalità e la mia cultura. Ricominciai da zero, lottando con grande forza di volontà e fronteggiando situazioni anche difficili.

Col tempo trovai nuovi amici, emigrati connazionali o di altri paesi. Ci lasciavamo ogni anno, verso la metà di dicembre, per ritornare in patria, presso le nostre famiglie, dove trascorrere le feste natalizie. Al 15 gennaio, poi, eravamo di nuovo in Germania e riprendevamo la solita vita dura e noiosa. A volte trovavamo la sorpresa della neve e di conseguenza i cantieri chiusi. Vivere all'estero senza lavoro non è facile. Le giornate sono lunghe e l'indennità di disoccupazione non è particolarmente sostanziosa.

Durai in questa vita per quattro anni. Poi decisi di prendere moglie, e nel febbraio del 1964 felicemente mi sposai. Purtroppo, dopo due mesi lasciai la moglie con i miei genitori, in Calabria, e ripartii nuovamente per la Germania. Ma tre mesi dopo il desiderio di rivederla si fece vivo più che mai e capii che ero veramente stufo di vivere da solo. E tornai in Italia. Sfortunatamente, nel gennaio 1965 dovetti partire un'altra volta, per fare il servizio militare. Mia moglie si diede da fare per ottenermi il congedo anticipato, dato che ero coniugato. Dopo undici mesi la domanda fu accolta e venni congedato.

L'anno successivo emigrai nuovamente in Germania, e dopo pochi mesi fui raggiunto da mia moglie. Dopo aver vissuto solo per tanti anni, arrivò anche per me il momento di avere accanto una persona amata. Il giorno in cui giunse mia moglie fu giorno di grande esultanza. Quando ha la sua donna al fianco, l'uomo vive in maniera diversa. Capii allora che la compagnia di mia moglie valeva più del denaro e constatai che, quando in casa c'è la donna, c'è anche pace e serenità.

Lasciai il lavoro di costruzioni stradali e mi sistemai in una acciaieria. Inoltre andammo ad abitare in un comodo appartamento. Dopo qualche tempo anche mia moglie trovò lavoro in una piccola azienda di tessuti, dove erano impiegate una dozzina di donne tedesche. Con grande passione si mise a lavorare in mezzo a loro, con la speranza di poter imparare rapidamente la lingua.

Le nuove compagne inizialmente si mostrarono benevole e cordiali, ma poi cambiarono atteggiamento. Me ne accorsi, perché mia moglie mutò radicalmente. Quando rientrava in casa appariva depressa e inutilmente io gliene chiedevo ragione. Suscitava gelosie? Può darsi, poiché lei aveva sempre il sorriso sulle labbra e lavorava con grande lena. Con il passare dei giorni cominciarono a insultarla e lei si arrabbiava perché non era in grado di rispondere. Anch'io ne soffrivo e continuavo a chiedere ragioni del suo turbamento. Non mi diceva la verità, per evitare che io provocassi qualche diverbio. La mattina ci salutavamo con un bacio, entrambi andavamo al lavoro contenti; però la sera lei ritornava abbattuta e triste. Soffrivo molto a vederla in quello stato, tanto più che era incinta e avevo timore che potesse capitare qualcosa. A lei e al bimbo. Un giorno, inaspettatamente, conobbi la verità. Mentre stavo al lavoro, venne a cercarmi il padrone dell'azienda in cui lavorava mia moglie. Si chiamava Lopata. Mi invitò a salire sulla sua auto. «Si tratta di tua moglie». Lasciai quanto avevo in mano, e me ne andai com'ero, senza cambiarmi.

L'azienda distava sei chilometri. Durante il percorso disse che mia moglie era svenuta ed era caduta sul pavimento, fortunatamente senza alcun danno. Gli risposi che me l'aspettavo. Lopata disse: «Pensi che sia a causa della gravidanza?». «Quella non centra, – risposi – la colpa è delle donne che lavorano nella tua fabbrica». Trovai mia moglie ancora confusa. Appena mi riconobbe, chiese che cosa le fosse successo. «Niente, – risposi – pensa solo a riposare e a stare bene». Il mio sangue ribolliva nelle vene ed esplosi contro le ragazze, che stavano intorno a mia moglie. «Andatevene, – dissi – lasciatela in pace. Siete state disumane e crudeli». Nel frattempo giunse l'autoambulanza e insieme a mia moglie andammo all'ospedale.

La sera stessa il medico la mandò a casa, dopo averla accuratamente visitata. Assicurò che tutto era normale e che non c'era pericolo. Non sarebbe stato male, se si fosse presa un po' di riposo. Ne aveva veramente bisogno. Si riprese in pochi giorni e ritornò a lavorare. Da allora le compagne cambiarono atteggiamento. La considerarono come tutte le altre e la rispettarono come si meritava.

Arrivò presto Natale, il primo trascorso in terra straniera insieme alla compagna della mia vita. Eravamo felici, ma cominciavamo a essere stanchi di quella vita. Così, nel luglio dell'anno seguente, decidemmo di lasciare l'Europa e di emigrare in Canada. Due giorni dopo il nostro arrivo, mia moglie dette alla luce il nostro primogenito e a distanza di due anni nacquero due gemelli. Formammo così una famiglia di cinque persone.

A quei tempi guadagnare 1 dollaro e 75 centesimi all'ora, non consentiva certo di scialacquare. Ma mi accontentai ugualmente, con la speranza che nel futuro avrei potuto trovare un lavoro migliore. Imparai un po' alla volta la lingua, per poter difendere meglio i miei diritti e inserirmi più agevolmente nell'ambiente. I problemi degli emigrati sono sempre tanti: dove e come trovare casa, dove lasciare i bambini durante il lavoro, su chi fare affidamento... Li abbiamo risolti con coraggio e con tanta buona volontà. Mia moglie si mise a lavorare di notte, io lavoravo di giorno. E così potemmo badare ai figli e alle faccende domestiche.

Passavamo intere giornate senza vederci perché, quando lei usciva, io dormivo già; e la mattina, quando mi alzavo io, lei dormiva. Fu una vita un po' triste, oltre che assai impegnativa. Ora però ne siamo orgogliosi, poiché il nostro lavoro e il nostro sacrificio ci hanno consentito di crescere una famiglia in terra straniera: nell'Ovest del Canada, dove le temperature sono gelide. Eppure noi italiani ci siamo abituati anche a questo paese, dove il freddo raggiunge quaranta gradi sotto zero e il terreno gela a due metri di profondità. Ma nonostante le asprezze climatiche, il Canada è un paese molto cordiale, ospitale e pieno di risorse. Un paese che offre uguale rispetto a tutte le razze.

È proprio per questo che sono molto fiero di viverci. E di sentirmi cittadino canadese, come mi sento cittadino della mia cara Italia.

A PALAZZO DI GIUSTIZIA
SI PARLA LA NOSTRA LINGUA

Piazza Vittoria è situata al centro della città di Adelaide. A ridosso del mercato centrale sorge il Samuel Way Building, che ospita il tribunale e la corte d'assise dello stato. Prima della sua trasformazione in palazzo di giustizia, esisteva dal 1915 un grande magazzino. I nostri emigrati d'anteguerra ricordano che questo magazzino, gestito da tale Charles Moore, aveva istituito un servizio gratuito di carrozze a cavalli per il trasporto dei clienti dalla stazione ferroviaria. Un comodo mezzo per attraversare il centro cittadino.

Ma sono ricordi di altri tempi. La nostra visita a «palazzo», del quale colpisce all'entrata l'imponente scalone in marmo di Carrara, ha lo scopo di incontrare il giudice Pasquale Pirone, il primo a raggiungere tale carica tra gli italiani emigrati. Un successo che ci riempie tutti d'orgoglio. Nonostante i numerosi impegni della sua giornata, non rifiuta un colloquio tra un'udienza e l'altra. «Sono nato in un minuscolo paese, Tufara a Valle Caudina, una decina di chilometri da Benevento ma in provincia di Avellino. Mio padre emigrò in Australia nel 1949. Io, primogenito di tre fratelli, lo raggiunsi nel 1951, proprio il giorno del mio diciassettesimo compleanno. Mamma e gli altri fratelli si unirono a noi nel 1954. Era regola fissa, a quei tempi: il capofamiglia partiva, lavorava duro, riusciva a mantenere la famiglia lontana e anche a salvare qualche soldo per consentire al primogenito di raggiungerlo. In seguito, dopo che era stato raggranellato un gruzzolo sufficiente con il lavoro di padre e figlio, toccava alla mamma e ai figli minori intraprendere la traversata transoceanica».

I sacrifici, morali e materiali erano enormi. Ma era una specie di destino, cui non si poteva sfuggire. In Italia, Pasquale aveva frequentato la quarta ginnasio ed era stato promosso alla quinta. Essendo stato però alunno di un collegio privato, i suoi studi non furono riconosciuti legalmente. Figurava il solo titolo di licenza elementare. Perciò dovette affrontare nella sessione autunnale del 1949 un esame integrativo, con il quale ottenne la licenza di scuola media.

«Al mio sbarco in Australia, – continua il racconto – constatai che la conoscenza dell'inglese era necessità prioritaria. L'incapacità di esprimersi nella lingua del paese dà l'impressione di vivere in un pozzo, completamente isolati dal mondo esterno. Mi dovetti adattare a qualsiasi mestiere, anche ai più umili. Non dimenticherò mai il primo lavoro, in un negozio di frutta gestito da un siciliano e situato in una via frequentata da italiani. Teneva aperto notte e giorno, sempre davanti alla sua merce, sempre a scrutare il marciapiede. Gli avevano detto che in Australia si trovavano le sterline per le strade, ma non ne aveva ancora vista una, quantunque guardasse sempre per terra. Poi cambiai molte fabbriche, facendo lavori monotoni sulle catene di montaggio».

Una vita monotona, pesante, ma remunerativa per una famiglia assediata dai debiti per il viaggio e per l'acquisto della casa. Infine capitò in una fornace di mattoni. Fu in quella circostanza che una forza interna lo spinse fuori da quel lavoro senza futuro e lo indusse a tornare allo studio. Un pizzico di fortuna gli arrise, quando le autorità scolastiche locali equipararono la sua licenza media italiana a quella locale. Ottenne un lavoro temporaneo presso il dipartimento della polizia statale, come impiegato avventizio nella sezione paghe. Notevole era il divario con i suoi colleghi, quasi tutti diplomati ragionieri o in procinto di esserlo.

Dovette iscriversi all'istituto tecnico e frequentare corsi serali per ottenere il diploma. Lavorando e studiando assiduamente, riuscì a raggiungerlo senza particolari difficoltà. Ma un titolo di studio è solo un passaporto per ottenere l'impiego. Al «passaporto» di Pasquale mancava il «visto». Senza di esso non poteva migliorare la sua posizione. «Così presi la decisione eroica di abbandonare un sicuro posto governativo, ma scarsamente remunerato, per cercare fortuna altrove. Fu forse una delle decisioni più sagge della mia vita. Mi imbattei in un sensale di compravendite immobiliari. Emigrato tedesco e padre di tre figli, aveva una struggente ambizione: diventare avvocato, nonostante la scarsa conoscenza dell'inglese. Feci una opportuna considerazione: se lui pensa di poter arrivare a tanto, perché non posso farlo anch'io con una conoscenza dell'inglese molto superiore?».

Per potersi iscrivere all'università, occorre però una licenza di scuola media superiore. Con una caparbietà di cui ancora si sorprende, Pasquale iniziò i corsi serali di maturità classica. Una risoluzione che oggi gli appare quasi irresponsabile. Ma tanta fu la determinazione, che si licenziò a pieni voti. Anche in inglese che, all'arrivo, gli aveva dato tanta preoccupazione.

«Finalmente avevo accesso all'università, e mi iscrissi a due facoltà: lettere e giurisprudenza. Ma c'è un limite alla resistenza umana: non è possibile badare alla famiglia, provvedere al sostentamento dei propri cari e contemporaneamente studiare per due lauree. Optai per la laurea in legge». Dopo il conseguimento della laurea e un breve tirocinio in un piccolo studio, entrò a far parte di una grande organizzazione legale, nella quale rimase fino alla nomina a giudice.

«A questo punto, però, voglio fare un passo indietro. Quando incominciai a lavorare per l'agente immobiliare, avevo la qualifica di manager. Un fatto colpì la mia attenzione. Un tizio veniva in ufficio ogni giorno, anche due o tre volte. Firmava alcune carte e a ogni firma gli dovevo consegnare un assegno di 21 ghinee: una somma rilevante all'epoca. La curiosità mi indusse a chiedere chi fosse e quale professione esercitasse. Mi fu detto che era un notaio, e operava nel settore della compravendita di immobili. Per avere la licenza occorreva frequentare un corso di dodici mesi e sostenere un esame. Ebbene, con tutti gli altri impegni, feci anche quel corso, che mi diede l'opportunità di lavorare come libero professionista».

Nel 1957 Pasquale coronava il suo sogno d'amore. La moglie Elisabetta è di origine slava, nata da genitori ungheresi. Parla molto bene il croato e il magiaro, e ha appreso anche l'italiano. Dall'unione nacquero tre figlioli: Teresa Giulia, Maria Cristina e Steven Martin.

A questo punto il nostro interlocutore fa una pausa e si mette a cercare fra le sue carte. Ci mostra sorridente un ritaglio di giornale. Risale al 1980, quando la figlia primogenita Teresa Giulia si presentò al concorso «Miss Villaggio Italia», nel quale riuscì vincitrice. Il «Villaggio Italia» è una istituzione che onora i connazionali di Adelaide. È una casa di riposo per i nostri anziani, voluta e finanziata da tutta la comunità italiana. Il nostro giudice ne fu presidente per cinque anni nella fase cruciale della organizzazione. Il ritaglio del giornale recava questo titolo: «Un messaggio di Teresa Giulia Pirone». E il testo era il seguente: «Un sogno che sta per diventare realtà. Nel cuore di ogni italiano si annida la segreta speranza di ritornare in Italia e coronare la sua vita nella terra natia. Purtroppo, più i nostri anziani si avvicinano al traguardo, più si accorgono che è soltanto un'illusione. Il loro sogno è l'Italia, ma la loro vita è qui, in questa terra australiana che il loro lavoro e i loro sacrifici hanno reso più bella e più ricca. Per questa ragione sorse l'idea del Villaggio Italia: per dare al sogno dei nostri anziani una parvenza di realtà. Senza farli allontanare dai loro cari, essi possono trovarvi molte cose che ricordano da vicino l'Italia. A partire dalla lingua, che viene parlata obbligatoriamente da quanti vivono e lavorano entro il perimetro di questa piccola patria riconquistata. La ragione per cui decisi di partecipare al concorso "Miss Villaggio Italia" è perché volevo offrire anch'io il mio mattone per trasformare in realtà il sogno dei nostri anziani».

Un italiano, un emigrato venuto dalla gavetta, indossa oggi la toga del magistrato in una nazione multiculturale, ma legata alle tradizioni della cultura britannica. È un esempio della capacità di adattamento anche culturale della nostra gente. Ma è esempio allo stesso tempo per una fedeltà alle proprie tradizioni umane, che ha saputo trasmettere ai figli.

UN ESPLORATORE VERONESE
NEI DESERTI DELLA PATAGONIA

Francesco Pietrobelli nacque a Verona l'11 novembre 1858. Frequentò il ginnasio, cosa molto rara a quei tempi, e si specializzò nel rilevamento topografico e nel tracciato di strade. Conosceva in maniera approfondita la geografia e la geologia, e parlava cinque lingue. Mostrò fin da giovane un grande dinamismo e un vivissimo desiderio di conoscere il mondo, che lo indussero a emigrare prima in Germania e successivamente negli Stati Uniti. Giunse in Argentina nel 1888 e fu assunto da una società inglese, che stava costruendo una ferrovia in Patagonia per collegare Puerto Madryn con Trelew e Gaiman. In Patagonia rimase per circa tre anni, dedicandosi anche al commercio.

Nel 1894 fondò una società, denominata «El Fenix», allo scopo di esplorare la zona andina della Patagonia, dove aveva deciso di stabilirsi. Dovette però desistere dall'impresa, che si rivelò troppo costosa e non ottenne alcun finanziamento dallo stato argentino.

Qualche tempo dopo, avendo raggiunto una maggiore conoscenza della zona e una migliore capacità di affrontare le difficoltà logistiche, intraprese il suo primo viaggio nel territorio desertico della Patagonia centrale. Questa e altre successive esplorazioni, assai dure e rischiose, furono narrate nel libro: *Exploración y colonización de la Patagonia central*. Con la collaborazione dei coloni gallesi, giunti da poco nella zona di Rio Chubut, scoprì una splendida vallata che venne registrata nella topografia ufficiale con il suo nome: Canadon Pietrobelli.

In quegli anni disegnò il tracciato di una strada, che attraversava il deserto per 360 chilometri dai laghi Muster e Colhue Huapi fino alla Bahia Camarones; e nelle vicinanze del lago Muster fondò Colonia Ideal, oggi chiamata Colonia Sarmiento e divenuta una fiorente cittadina con oltre sermila abitanti. Primi vi si stabilirono i coloni gallesi, che iniziarono la coltivazione delle terre e l'allevamento del bestiame.

Nel suo diario Pietrobelli racconta: «Dopo pochi giorni dall'insediamento, misero nelle mie braccia il primo bambino nato in Colonia e, poiché non c'era sacerdote, fui io ad alzarlo verso il sole dicendo: "Benedicilo tu, affinché viva felice fino a cent'anni". I coloni gallesi, in circolo accanto a me, dissero in coro: "*For ever, for ever*"».

La Colonia crebbe rapidamente, come crebbero i prodotti della terra e gli animali negli allevamenti. Fu necessario un porto più vicino di quello di Bahia Camarones, che distava 360 chilometri. Un viaggio troppo lungo, su territori desertici e privi di acqua. I prodotti della Colonia: carne, frutta, ortaggi, pelli e lana, avrebbero subìto gravi danni durante il percorso. Pietrobelli dimostrò ancora una volta il suo animo di pioniere, affrontando con la consueta intraprendenza il grave problema. Prima di tutto occorreva studiare il modo di superare il deserto, per trovare la via più breve verso la costa atlantica. La strada che disegnò era lunga circa 160 chilometri e conduceva da Colonia Ideal a una spiaggia chiamata Rada Tilly.

Si decise di compiere l'esplorazione e Pietrobelli partì, quasi verso l'ignoto, con pochi uomini, tredici cavalli e una carretta piena di attrezzi e di viveri. Sempre all'avanguardia e ansioso di procedere senza indugi, un giorno il nostro pioniere si perse nel deserto. Vagò da solo per due giorni, privo di viveri, sotto un sole ardente e nel gelo della notte, senza perdere il suo coraggio. E finalmente ritrovò i compagni, con i quali raggiunse Rada Tilly.

Fu scelto un luogo adatto per costruire la prima base: un lungo capannone, che serviva da deposito e da locanda. E quella fu l'origine dell'attuale città di Comodoro Rivadavia.

Successivamente Pietrobelli si recò a Buenos Aires, incontrando autorità e uomini d'affari, ai quali chiese aiuto e collaborazione per la sua fondazione. Ottenne uno scalo obbligatorio per tutte le navi argentine di passaggio. In tal modo si sviluppò un traffico di merci, provenienti da Buenos Aires e in partenza da Colonia, che crebbe rapidamente e richiamò artigiani, coloni, imprenditori. La nuova città ebbe via via i suoi uffici municipali, il magistrato, gli agenti consolari e il corrispondente della «Prensa», che è il più importante giornale argentino. L'esistenza della città fu sancita da un decreto dell'autorità governativa, nel quale era dichiarato che Comodoro Rivadavia era stata fondata il 23 febbraio 1901 da Francisco Pietrobelli.

Il protagonista di tante imprese a questo punto è stanco. Decide di abbandonare per sempre le esplorazioni e il deserto, per ricominciare una nuova vita accanto alla sua famiglia. Ma non resta inattivo.

Nella nuova città scarseggia l'acqua. E allora Francisco chiede aiuto a Buenos Aires e ottiene una macchina per le perforazioni. Il risultato è nullo. Però qualche mese dopo, invece dell'acqua, altri perforatori trovarono il petrolio. Era l'anno 1907 e per Comodoro Rivadavia cominciò una nuova era, che l'avrebbe promossa al rango di capitale argentina del petrolio.

Tutte queste vicende, dalle quali nacquero città e si svilupparono grandi ricchezze, non recarono alcun vantaggio personale a Pietrobelli, che non ottenne né chiese mai niente per sé e per la sua famiglia. Rientrò in Italia nel 1918: aveva sessant'anni ed era quasi povero. Poco tempo dopo fu colpito da una paralisi, che lo costrinse all'immobilità fino alla morte, avvenuta nel 1926. Con lui si spense uno dei tanti protagonisti della nostra emigrazione, che compirono grandi imprese e grandi opere nei cinque continenti, ma in patria non furono mai conosciuti.

Il 23 febbraio 1971, celebrando i settant'anni dalla fondazione della città, il sindaco Eduardo Bernal disse: «La fondazione di Comodoro Rivadavia non si deve a un evento fortuito. Fu voluta. E il merito esclusivo è di Francesco Pietrobelli, il veneto che cercò nel golfo di San Giorgio il luogo più propizio, per dare uno sbocco sul mare alla colonia di Sarmiento».

L'Associazione italiana di Comodoro Rivadavia ha voluto onorare la memoria di questo grande pioniere. Il comitato direttivo, con l'adesione dell'intera collettività, ha voluto erigergli un monumento nella Avenida Rivadavia con la seguente dedica: «La collettività italiana al fondatore della città».

DAI CAMPI DI CANNA
AI FASTI DELL'OPERA

«Sono nato a Rovigo, ma ho vissuto in provincia di Padova: ad Anguillara Veneta. Emigrai a diciassette anni, per cercare fortuna. La mia era una famiglia abbastanza numerosa: con sei figli; i tempi erano duri e lavoro non ce n'era, in una Italia semidistrutta dalla guerra. Prima andai in Francia, dove rimasi per cinque anni, sia pure con vari ritorni in patria. Nel 1957 presi finalmente la decisione forte: emigrai oltre oceano, in Australia».

Questo esordio, rapido ed eloquente come quello di un racconto, è di Lamberto Furlan, un emigrato intrepido, che ha una lunga e quasi straordinaria storia da narrarci. Diciamo «quasi» straordinaria, perché ne abbiamo sentite tante storie importanti dai nostri emigrati. Storie all'inizio dure e amare, ma coronate spesso dal successo. Quella di Lamberto Furlan appartiene a questa categoria: è quasi una odissea, nella quale il coraggio vince le difficoltà, la fermezza delle decisioni e la consapevolezza delle proprie possibilità conducono dritto verso una affermazione clamorosa. Ma prima, per arrivare...

Emigrato per necessità, Lamberto aveva però una vocazione profonda: quella della musica. Non aveva mai fatto studi e l'unico titolo che poteva vantare era quello di uno zio organista, eppure fin da ragazzo coltivò il suo sogno. Gli piaceva cantare, per fare contenti gli altri e per sfogare la sua giovanile baldanza. Gli piaceva cantare, perché la musica gli conciliava anche i momenti difficili. Fece parte del coro parrocchiale, si esibì durante i matrimoni, nelle feste paesane, nelle allegre compagnie dei coetanei, ovunque ci fosse un pianoforte o una fisarmonica. Ma sempre per divertimento. Non pensò che potesse essere una professione, finché non si rese conto che a cantare si possono guadagnare denari. Anche molti.

Forse è la storia di molti artisti di ieri, che si sono fatti con la propria bravura e con i propri meriti, senza essere catapultati nell'empireo di cartapesta dalle fragorose ma fortuite campagne pubblicitarie. Ma è una storia molto bella, nella quale il coraggio e il sacrificio sono ampiamente rimeritati.

«Il primo impatto con l'Australia fu duro – continua il nostro interlocutore. – Trascorsi sessanta giorni nel campo di reclutamento di Cairns, nel Nord del Queensland. E pensare che il governo italiano aveva agevolato la nostra partenza e aveva assicurato la sua assistenza, il suo aiuto... Invece non si vide nessuno. Non c'era lavoro nemmeno in Australia e bisognava aspettare. Un campo di 1600 persone, delle quali il più anziano aveva ventitré anni: quasi una prigione».

Alla fine Lamberto non ce la faceva più: il recinto gli appariva sempre più soffocante, il futuro sempre più confuso. Se ne andò dal campo in compagnia di altri due giovani italiani, originari di Treviso. Si allontanarono a piedi verso il Sud dello stato; e poiché non conoscevano la strada, seguirono la linea ferroviaria. Come nelle storie del profondo Sud, narrate dagli scrittori americani degli anni Trenta.

«Giungemmo a Innisfail, a 150 chilometri circa dal campo, un paio di giorni dopo. Eravamo quasi distrutti, poiché ci eravamo nutriti soltanto di pane e mandarini; ma eravamo padroni del nostro avvenire. Che fare? Giungemmo di fronte a un ristorante e indugiammo quasi per scaramanzia. Non ci passava nemmeno per la testa di entrare, perché eravamo senza soldi. E invece...».

Dal ristorante uscì improvvisamente il padrone. «Avete fame?» chiese. La risposta fu affermativa, anzi entusiastica. «Ma non abbiamo soldi», dissero i giovani ripensandoci. Il padrone era un trevigiano: «Entrate lo stesso» disse. E fu l'inizio del futuro. Offrì ai tre affamati una bella pastasciutta alla bolognese e una grossa bistecca al sangue, quali non mangiavano da almeno tre mesi. E per i soldi? «Non preoccupatevi – disse ancora il generoso ospite. – Quando riceverete il prossimo stipendio verrete a pagare».

«Ma non abbiamo un lavoro», dissero i ragazzi in coro. E allora il brav'uomo pose mano al telefono e in capo a pochi minuti aveva già trovato un'occupazione. «La mattina successiva – conclude Lamberto – eravamo già all'opera per il taglio della canna da zucchero».

Il lavoro era duro, anche se alternato con la raccolta della frutta, che comportava meno fatica. Ma il futuro non poteva nascere in quelle desolate praterie: il futuro aveva l'aspetto caotico e rutilante della grande città, dove il lavoro è più facile e le occasioni sono tante. Nel 1959 era a Brisbane, occupato in una fabbrica di apparecchiature elettriche. Qui ebbe inizio il nuovo cammino. Non aveva mai smesso la passione del canto e, sia pure molto occasionalmente, aveva studiato un po' di musica. Poca cosa, ovviamente, ma sufficiente per aggiungere qualche punto in più alle doti naturali.

«A Brisbane vinsi un concorso di canto, organizzato dalla compagnia aerea australiana di bandiera, e potei cominciare a studiare sistematicamente. In quegli anni conobbi Beryl Simpson, che studiava canto italiano al conservatorio di Melbourne. Ci fidanzammo e poi ci sposammo all'inizio del 1963. Qualche mese dopo eravamo entrambi in partenza per Roma. Meta: il conservatorio di Santa Cecilia, per studiare l'arte del bel canto secondo la grande tradizione italiana».

Il soggiorno romano dura sei anni. Per pagare la scuola, Lamberto fa l'autista e la guida turistica, finché conosce il maestro Carlo Felice Cillario, direttore dell'Australian Opera Theatre di Sydney, che in quella stagione dirigeva al San Carlo di Napoli *L'elisir d'amore*. Si conobbero. Marito e moglie ottennero una audizione e quindi un contratto per cantare in Australia. Ritornarono nell'autunno del 1969. Per entrambi si schiudeva un roseo avvenire e una prospettiva di successo. Lamberto, in particolare, aveva realizzato un radicale mutamento di vita, che coronava il sogno tenacemente coltivato dall'infanzia.

Quali sono i più bei ricordi della vita artistica? È presente alla conversazione anche la moglie Beryl. Ed è lei a rispondere. «L'inaugurazione dell'Opera House di Sydney, per esempio. Cantammo insieme il *Nabucco* in una serata tutta italiana». Lamberto ricorda invece che una sera, mentre era al Princess Theatre di Melbourne per assistere alla *Tosca*, accadde un fatto non tanto raro. «Alla fine del primo atto, il tenore si sentì male. Allora il direttore del teatro, che avevo già incontrato, si avvicinò e mi chiese se conoscevo l'opera. Alla risposta affermativa, mi invitò a sostituire l'infortunato. Non ho mai avuto un'esperienza altrettanto bella nel corso dell'intera mia vita artistica. Ricevetti

175

applausi frenetici, e la gente fu costretta a sloggiare dalla sala, per il timore che cadesse il loggione».

Ma i ricordi sono tanti, e si affollano nel ripercorrere l'itinerario di una vita ricca di successi. «Altra stupenda esperienza vissi al mio debutto in Australia, dopo il ritorno da Roma. Cantai *Cavalleria rusticana* ad Adelaide. Nessuno mi conosceva, e ugualmente ricevetti una accoglienza entusiastica. E poi la *Lucia di Lammermoor* ancora ad Adelaide, nel 1984, quando cantai con la celeberrima Johan Sutherland nel nuovo teatro Opera Center. E il passaggio al Teatro dell'opera di Sydney, con *Lucrezia Borgia* e le molte opere che si sono susseguite in tanti anni di carriera».

Naturalmente una citazione a parte viene riservata alla collaborazione artistica con la moglie. «Abbiamo cantato insieme *Nabucco*, *Rigoletto*, *Traviata*, *Bohème*... La prima volta che abbiamo fatto coppia, nella *Bohème*, finimmo piangendo tutti e due. Per l'emozione della storia che avevamo interpretato, ma anche per la soddisfazione dei tanti applausi...».

Sono ritornati in Italia qualche anno fa e si sono stabiliti temporaneamente a Padova. Non è per nessuno dei due un «ritorno» nel senso tradizionale. È stata per entrambi una scelta, per continuare a studiare e a lavorare in quella che universalmente è riconosciuta come la patria dell'opera lirica. «A me piace molto l'Italia: la sua cultura, la sua atmosfera, la sua gente – dichiara Beryl. – Credo che insegneremo canto, per poter trasmettere la nostra esperienza e la nostra passione a tanti giovani...».

«Stiamo organizzando una nuova fase della nostra vita, – conclude Lamberto – nella quale abbiamo bisogno di comunicare con le persone accanto alle quali viviamo; di inserirci in una realtà culturale e sociale, della quale conosciamo pochissimo. Naturalmente l'operazione è delicata: può essere realizzata soltanto investendo in idee e in energie». Bando ai ricordi quindi, anche se costituiscono un patrimonio preziosissimo per Lamberto e Beryl. Specialmente per Lamberto, che ha smesso i panni dell'emigrato per vestire quelli rutilanti dei celebri protagonisti del melodramma. Più che a ricordare, il tempo deve essere speso a progettare. «Vogliamo reinvestire il nostro patrimonio, per aiutare i giovani che amano il bel canto».

QUARANT'ANNI DI MISSIONE
PER MADRE ALBERTA

«Partii per la prima volta dall'Italia nel 1955. Mi imbarcai a Genova sulla *Flaminia*, una nave da guerra adibita al trasporto dei migranti. Meta era la lontanissima Australia, agli antipodi della nostra Europa. Ricordo, come fosse oggi, le grida di saluto, la commozione, lo sventolio dei fazzoletti di chi partiva e di chi rimaneva... A quei tempi le partenze non avevano ritorno e la lontananza incommensurabile suscitava profondi sgomenti». A raccontare queste cose con tanta evidenza è suor Alberta Scalet, nata in provincia di Trento, in un paese poco lungi da Fiera di Primiero. Appartiene alla Congregazione delle suore Pastorelle, fondata da don Alberione per aiutare parroci soli nel loro ministero e nella gestione delle parrocchie.

Suor Alberta ha un passato missionario di particolare riguardo: dieci anni in Australia, diciannove nelle Filippine, otto in Corea del Sud. Attualmente è in Australia, dove l'abbiamo incontrata in occasione di un recente viaggio. Ha tante cose da raccontare: la vocazione, le Filippine, la Corea, l'Australia, le sue esperienze umane e religiose... Ne è uscito un colloquiofiume del quale con rammarico possiamo riferire soltanto una parte.

«Il mio primo compito all'arrivo in Australia fu quello di assistere le ragazze, che giungevano dall'Italia dopo essersi sposate per procura. Molte si adattavano alla situazione, a un marito estraneo, conosciuto soltanto attraverso le lettere e le fotografie; altre invece dicevano che nemmeno gli rassomigliava e aveva spedito foto non sue; altre dicevano ancora che persino le lettere erano false e se le era fatte scrivere da qualcuno, che sapeva usare parole menzognere».

Un dramma ignorato, anche se a suo tempo se ne fece qualche film, che si verificò nei primi anni della nostra emigrazione in Australia e poi si esaurì rapidamente. «Noi ospitavamo le ragazze che avevano rifiutato il matrimonio, e avevamo cura di loro. Avrebbero voluto tornare subito a casa, poiché alla delusione si aggiungeva l'impreparazione psicologica a vivere l'emigrazione. Ma non sempre avevano la possibilità di pagarsi il viaggio di ritorno e raramente le famiglie erano in grado di intervenire. Nostro compito, oltre che di ospitarle, era quello di seguirle nel cammino di un eventuale inserimento, almeno finché non avessero racimolato il danaro sufficiente, per acquistarsi il biglietto di ritorno».

All'inizio degli anni Sessanta il fenomeno era in esaurimento e perciò, nel 1962, suor Alberta e le sue compagne assunsero una scuola materna nella città di Melbourne, su invito di un parroco australiano. «Ma cominciammo subito a lavorare anche in parrocchia, in osservanza alle priorità imposte dalla nostra regola». Nel 1965, trasferimento nelle Filippine e fondazione della prima comunità a Manila. Un soggiorno breve per suor Alberta, poiché viene inviata in un'altra diocesi, povera e disagiata, dove molte chiese erano senza prete. «Il luogo di residenza si chiamava Cavite e godeva di una pessima fama. Si diceva che vi trovassero rifugio i criminali della vicina Manila. Un posto pericoloso, insomma. Ma fu proprio per questo che accettammo con gioia il trasferimento. Eravamo ventisei suore e ci fu affidato il compito di istituire una scuola cattolica, che la popolazione locale chiedeva da molto tempo».

A Cavite la nostra missionaria rimase diciannove anni, sempre lavorando con incrollabile entusiasmo. E con buoni risultati se, oltre a istruire tanti giovani che poi si sono affermati in vari campi, ha stimolato tante vocazioni: almeno una cinquantina di nuove suore filippine per la congregazione.

Il 1984 è l'anno di una nuova partenza. Meta: prima la Corea del Nord e poi quella del Sud. In un sobborgo di Seul. «Per un po' ho avuto alloggio presso le Figlie di san Paolo; ma successivamente, all'arrivo di una consorella coreana che venne ad aggiungersi alle due filippine arrivate assieme a me, fondammo a Kirum Dong una nuova comunità. Aprimmo una scuola materna nel quartiere, che è uno dei più poveri della città, e in breve tempo accogliemmo un centinaio di bambini. La maggior parte di loro non erano cristiani, perciò trovammo largo spazio per l'evangelizzazione. Specialmente con i genitori. Avevamo l'ostacolo della lingua, che è veramente molto difficile; ma ci fu di grande aiuto la consorella coreana, che si diede un gran da fare come traduttrice. Oggi, fra postulanti e novizie, le coreane sono diciassette».

Suor Alberta fa le valige ancora una volta e, dopo ventisette anni, ritorna in Australia. La nuova sede è Adelaide, dove forma una piccola comunità con suor Carmen e suor Adele. E tutte e tre, sempre in ossequio alle direttive del fondatore, lavorano a tempo pieno in campo pastorale, rendendo importanti servizi alla parrocchia di Nostra Signora Regina della Pace a Payneham.

Il racconto lascia ora il posto al dialogo. Le vicende sono state narrate interamente, sia pure a volo d'aquila, e perciò il discorso si rivolge al presente: sul lavoro attuale nel settore dell'animazione liturgica e del servizio pastorale a beneficio delle 800 famiglie italiane e, data la conoscenza della lingua, anche delle famiglie anglosassoni. C'è però un'attenzione particolare delle suore Pastorelle nel loro lavoro quotidiano, soprattutto nei giorni feriali: la visita agli anziani e agli ammalati. Suor Adele Dal Bello è totalmente dedita a tale prezioso servizio. E qual è l'attuale situazione delle famiglie italiane in Australia?

«La prima generazione, giunta direttamente dall'Italia, ha lavorato giorno e notte per creare una condizione di vita soddisfacente. Oggi la maggior parte dei nostri connazionali sta bene, però la famiglia è stata trascurata abbastanza. Entrambi i genitori erano occupati con il lavoro: perciò i figli, quando non stavano a scuola, erano a casa da soli. Comunque le cose sono andate avanti ugualmente e questi figli, in genere, sono cresciuti bene. È abbastanza recente il fenomeno dei matrimoni fra giovani, che durano poco tempo. Ma purtroppo c'è, e produce notevoli guasti. Come producono guasti i divorzi, seguiti da nuovi matrimoni, che mettono in subbuglio le famiglie dei contraenti e anche quelle dei genitori. Il danno più grave ricade però sui figli, che vivono situazioni di notevole disagio. Le famiglie giovani sono inesperte, non hanno ancora forti legami né una storia di vita insieme. Debbono quindi essere aiutate, sostenute. E invece sono lasciate sole. Dobbiamo prevenire il male, anziché curarlo».

181

Suor Alberta invoca una seria preparazione al matrimonio. Ma la sua prescrizione incontra notevoli ostacoli da parte della diocesi. «Le coppie vanno a sposarsi ovunque, se incontrano difficoltà. Persino nelle chiese protestanti. Per loro fa lo stesso, purché raggiungano lo scopo. Un prete vale l'altro. Di qui la necessità della preparazione: non penserebbero così, se conoscessero le differenze fra una confessione religiosa e un'altra. E la necessità del sostegno, che può contribuire a difendere l'unione familiare. Nelle parrocchie si organizzano incontri di preghiera per le famiglie; ma li frequentano soltanto coppie anziane».

Ma più che i sacerdoti o le religiose, dovrebbero essere i laici a lavorare per la famiglia. «Nelle Filippine, per esempio, ci sono coppie adeguatamente preparate, che aiutano a ritrovare solidità e affetti nei matrimoni in crisi. Magari coppie che hanno vissuto l'esperienza della crisi e poi si sono ritrovate a distanza di tempo. Questa operazione vale per le coppie mature. Per quelle giovani, come abbiamo detto, è assai più efficace l'incontro e il dialogo per comunicarsi reciprocamente esperienze e problemi».

Vorremmo conoscere una storia particolare di questa lunga vicenda missionaria. Che cosa ci racconta suor Alberta? «Un'esperienza di Dio molto chiara e molto toccante. Fu una notte di Natale, nelle Filippine. Io ho avuto un padre molto rigido, molto severo. E perciò mi sono fatta della paternità un'idea poco amabile. Persino di quella di Dio, alla quale magari contrapponevo l'umiltà del Figlio. Ebbene, di fronte al presepe umile e poverissimo di quel Natale filippino, ho avuto la folgorazione della bontà del Padre, che aveva concepito l'incarnazione. È stata una sensazione profonda, che ha impresso una svolta alla mia vita spirituale».

Sono eventi importanti nella vita religiosa. Soprattutto delle religiose che operano in missione e sono sempre nelle prime linee della storia. Se si verificano, vuol dire che la storia non sacrifica la spiritualità e che l'esperienza mistica fiorisce non soltanto nel silenzio dei monasteri. Fiorisce anche nelle «prime linee» dei cinque continenti, dove tante religiose combattono le battaglie del bene.

AVVENTURA E SOLIDARIETÀ NELL'ESPERIENZA DEL MIGRANTE

Le storie di emigrazione possono sembrare tutte uguali. Invece, quante più se ne conoscono, tanto più ci si convince che ognuna ha i suoi aspetti originali, inediti. Cambia il protagonista, intanto: ma cambiano anche i comprimari che gli sono accanto; e soprattutto cambia il luogo, cioè la terra di emigrazione, che è determinante per gli sviluppi della storia e per i traguardi che essa raggiunge.

Attilio Scolaro, per esempio, è nato in un paese del Veneto: Loreggia, provincia di Padova. E dal Veneto sono partiti migliaia di migranti. Storia consueta quindi, almeno alle prime battute. Però inconsueta è la destinazione del nostro protagonista. Emigra sedicenne, nel 1948. Fa tappa in Canada: Hamilton e Vancouver; ma poi si trasferisce in Alaska. E l'Alaska è la novità. Abbiamo incontrato tanti connazionali, ma finora nessuno ci parlò dell'Alaska. È un paese difficilmente vivibile per chi non sia abituato da lungo tempo. Eccetto le coste meridionali, che godono di un clima sopportabile grazie alla corrente tiepida proveniente dal Pacifico e ai monti che bloccano i venti gelidi dell'interno, il resto del paese soffre inverni lunghi e rigidissimi, con temperature medie sotto lo zero per otto mesi all'anno.

In Alaska, Scolaro visse sette anni. Vita dura: anche solo a ricordarla. «Trasportavo materiale edile con un camion. Distanze enormi, clima infernale. Una volta, mentre attraversavo una landa deserta, fui assalito da una violenta bufera di neve. Fui bloccato e dovetti abbandonare il mezzo. Mi incamminai allora verso il punto di partenza, sperando di farcela. Se mi fossi sentito male, se mi fossi fermato, sarei stato sepolto dalla neve e chissà quando mi avrebbero trovato. Camminai per quaranta miglia, con una temperatura di trenta gradi sotto zero. Arrivai alla base congelato, e dovettero portarmi a Vancouver per rimettermi in movimento. Fu l'esperienza più terribile, ma non l'unica. I miei anni di Alaska furono pieni di difficoltà. A darne misura, e insieme a dare idea della mia vita in quegli anni, basti il racconto che ho appena fatto».

Nel 1957 tornò in Italia, dove vivevano la madre vedova e i sette fratelli. Sperava di rimanerci, di poter trovare un lavoro e farsi una posizione; invece non gli riuscì. L'anno seguente riprendeva la via dell'emigrazione, facendo sosta a Chicago. Qui avvenne un incontro determinante per la vita di Attilio. Incontra una ragazza presso una famiglia di conoscenti originari di Galliera Veneta, e nasce un sentimento che nel successivo 1959 fu coronato dal matrimonio.

«Tornai ancora un anno in Alaska, fra il '58 e il '59; e mantenni viva la relazione con la mia fidanzata, scrivendole regolarmente ogni giorno. Tornai a Chicago per sposarmi: il mio destino era compiuto. La famiglia di mia moglie, infatti, mi accolse a braccia aperte e mi persuase della opportunità di restare».

Si inserì proficuamente nel settore delle costruzioni stradali, raggiungendo una buona posizione. Dal matrimonio nacquero due figlie: Linda e Lori. La prima, professoressa di italiano; la seconda, diplomata in ragioneria. «Insieme con mia moglie Mery, sono la mia consolazione», dichiara soddisfatto Attilio. Accanto alla sua attività professionale, egli svolge anche un'intensa attività sociale. Da sette anni è il rappresentante dei veneti negli Stati Uniti presso la regione di origine; ed è presidente dell'associazione «Veneti in Nordamerica», che costituiscono una comunità molto numerosa. Collabora inoltre con le opere dei padri scalabriniani a Chicago: vale a dire Villa Scalabrini e Casa San Carlo, che offrono ospitalità ad anziani autosufficienti e non autosufficienti; il Centro stampa italiano, presso il quale funziona una radio in lingua italiana diretta da padre Dino Cecconi; il Centro culturale italiano, cui fanno capo iniziative e manifestazioni varie delle associazioni. Tutte queste opere sono sostenute dai contributi delle associazioni italo-americane e italiane.

«Però le troppe associazioni provinciali e regionali logorano la solidarietà veneta – afferma Attilio. – Vorrei che i veneti fossero tutti uniti in un'unica associazione, ramificata in tutte le città in cui vivono ma sotto la stessa bandiera. Le prime associazioni ebbero carattere parrocchiale: intitolate al santo patrono di questo o di quel paese italiano. Proliferarono, quindi, quasi all'infinito. Poi assunsero carattere geografico: dedicate a comuni, province, regioni. E ne venne un'ulteriore crescita. Una vera e propria polverizzazione, che rende quasi impossibile l'assunzione di iniziative comuni. È per questa ragione che io e alcuni amici abbiamo deciso di fondare l'associazione "Veneti in Nordamerica". E per "Nordamerica" intendiamo Stati Uniti e Canada, nei quali le problematiche dei nostri connazionali sono analoghe».

Il nostro interlocutore ritiene che la polverizzazione sia particolarmente nociva per le nuove generazioni, nate in terra di emigrazione. Faticano ad accettare il riconoscimento dell'origine italiana; figurarsi se si impone loro addirittura un'etichetta provinciale o peggio ancora paesana. Il rifiuto è scontato. «È necessario, perciò, puntare sulle agglomerazioni più vaste. Puntare sulla regione, quindi. E poi parlare di corregionali presenti in ampi spazi. Per questo la nostra associazione ha riunito le sette province venete nel più vasto ambito regionale; e poi ha riunito i figli di queste province presenti in un ambito continentale. A questo livello si schiudono tematiche di carattere più generale, si offrono nuove strade all'integrazione, si creano occasioni di incontri proficui. E tutto questo torna a principale vantaggio dei giovani».

I momenti più belli della vita associativa sono le gite collettive, le feste in cui si incontrano giovani e anziani, le manifestazioni culturali che alimentano interessi per la conoscenza delle proprie radici, le riunioni per discutere le questioni politiche che ci riguardano direttamente. Cita quale esempio alcune di queste riunioni, svolte a Chicago ma anche in Canada: a Hamilton e a Guelph, sulla doppia cittadinanza. «Ne sono sortite scoperte interessanti – dichiara soddisfatto Attilio. – A volere la doppia cittadinanza, cioè a chiedere la cittadinanza italiana in base alla nuova legge, non sono gli anziani. Sono i giovani. Non per ritornare in Italia, ma per sancire la duplicità della propria identità psicologica e culturale. Non ritengo che questa legge determinerà rientri in Italia. Servirà però a suscitare un rinnovato interesse per le proprie radici presso i giovani. E molto probabilmente anche un forte stimolo per la diffusione della cultura italiana presso le nostre giovani generazioni all'estero».

La situazione degli anziani è sempre all'ordine del giorno. Riteniamo che i loro problemi siano prioritari e debbano essere riproposti a ogni occasione. Come vivono a Chicago? «Si sentono abbandonati dall'Italia. Sentono dalla radio e dalla televisione che l'Italia interviene massicciamente nel terzomondo, inviando aiuti e promuovendo opere. Non hanno nulla contro il terzomondo, però sono addolorati di non suscitare altrettanto interesse. Molti di loro hanno bisogno, possibile che l'Italia non senta il dovere di aiutarli?». È un richiamo assai forte. I nostri anziani all'estero sono stati dimenticati per troppi anni. E pure oggi, quando effettivamente l'Italia ha ripreso in mano con una certa decisione il settore della sua emigrazione, continuano a pensare al vecchio tradimento. «È difficile recuperare – conclude Scolaro. – La ferita è diventata insanabile; e a renderla sempre dolorante rimane il problema delle pensioni, perennemente in primo piano in tutte le rivendicazioni».

UN PREZIOSO LASCIAPASSARE
PER IL BRITISH COMMONWEALTH

Alla fine del 1943 comparvero nella zona di Treschè Conca, un piccolo centro dell'altopiano di Asiago, alcune macchine tedesche, con a bordo soldati e ufficiali. Non venivano mai in paese, ma perlustravano le montagne tutto intorno. Ero molto curioso di sapere che cosa avessero in testa e decisi di seguirli da lontano, per non essere notato. Il giorno 14 gennaio 1944 inforcai i miei sci e presi la strada che porta al monte Cengio, attraversando Val di Gevano e la località chiamata Forcella. Arrivato a metà della salita che da Val di Gevano porta alla Forcella, passai vicino a una larga depressione, sul fondo della quale vi era una vecchia «casara», costruita con pietre a secco e con il tetto arrugginito.

Conoscevo bene la zona, ma grande fu la mia sorpresa, vedendo quattro uomini intenti a leggere e a godersi il sole. Quella casara era usata soltanto nei mesi di settembre e di ottobre, per far riposare le mucche, che scendevano dalle malghe a Nord dell'altopiano dei Sette Comuni.

Mi avvicinai e, in modo confidenziale, diedi il buon giorno. Mi rispose uno per tutti e il suo accento tradì chiaramente l'origine inglese. Domandai da dove venissero e la risposta fu: «Milano». Fu una ulteriore conferma della loro origine. Allora salutai in inglese e gli feci qualche domanda. Erano tutti e quattro inglesi e si chiamavano Norm, Pat, Richard e Lloyd. Ci mettemmo a conversare sulla loro presenza nell'altopiano e, per non essere visti o sentiti, entrammo nella casara. Mi raccontarono di essere stati fatti prigionieri nel Nord Africa e di essere stati portati in un campo di concentramento nei pressi di Verona, donde erano fuggiti l'8 settembre, quando fu firmato l'armistizio fra l'Italia e gli alleati. Avevano vagato per il Veneto alcuni mesi e infine erano giunti nella zona due giorni prima. Erano stati sempre aiutati dalla popolazione, ma avevano dovuto abbandonare l'ultimo rifugio, per evitare di essere catturati. Le loro provviste si stavano esaurendo e non sapevano come mettersi in contatto con la gente, che aveva già concesso loro ospitalità.

Promisi che li avrei aiutati e che sarei tornato la sera stessa con qualche provvista. I tempi erano duri per tutti. Scegliemmo una parola d'ordine e ci salutammo. Ritornai a casa, dimentico della ragione per cui me ne ero allontanato. Raccontai la storia ai miei e fummo tutti d'accordo sulla necessità di mantenere la promessa, anche se le scorte erano scarse. Chiedemmo aiuto ai nostri vicini, che collaborarono con grande generosità.

La sera tornai con il mio carico di viveri e altrettanto feci per oltre tre mesi, avendo cura di far cambiare alloggio ai miei amici ogni paio di settimane, per evitare che dessero nell'occhio. Partivo da casa alle otto di sera e tornavo verso le due del mattino. Quelle vissute in mezzo a loro furono ore di scuola. La mia conoscenza della lingua inglese migliorò infatti notevolmente.

Ci salutammo verso la fine di aprile, quando si unirono a un gruppo di partigiani del luogo e si trasferirono in zone più sicure. Prima della partenza mi consegnarono una lettera, ove era scritto quanto avevo fatto per loro. Mi raccomandarono di metterla in un posto sicuro, per consegnarla al comando alleato una volta che la guerra fosse finita. La nascosi in una bottiglia e la tappai con la cera, per evitare che vi entrasse l'acqua. Poi la seppellii sotto il gradino, che dal cortile di casa portava nell'orto.

Alla fine di maggio del 1945 mi recai al comando alleato di Vicenza e consegnai la lettera. Mi fu subito possibile mettermi in contatto con i miei amici. Norm, Pat e Richard erano arrivati regolarmente a casa. Lloyd invece, il più giovane, era stato ucciso dai tedeschi vicino a Sondrio. Ne ebbi molto dispiacere.

Ci scrivemmo per un po' ma poi, come capita per tutte le cose di questo mondo, la nostra corrispondenza si diradò sempre più finché cessò. Quando ormai avevo dimenticato ogni cosa, mi arrivò una lettera dal comando alleato. Dovevo presentarmi al municipio di Asiago il giorno 2 dicembre 1946, allo scopo di ricevere una ricompensa per quanto avevo fatto in favore dei prigionieri alleati.

Mi presentai puntualmente e un capitano inglese premiò me e altri con una somma di denaro e un certificato. Verso la fine della cerimonia, ci disse che quel certificato sarebbe stato per noi una specie di salvacondotto, qualora ci fossimo recati nel territorio del British Commonwealth e avessimo avuto bisogno di assistenza. Con i soldi ricevuti potei ritornare a scuola e continuare gli studi interrotti a causa della guerra. E più tardi potei iscrivermi all'università.

Nel 1954, seguendo una specie di vocazione, decisi di emigrare in Australia. Espletate le pratiche necessarie, partii da Genova il 23 agosto 1956 e arrivai ad Adelaide il 22 settembre: sabato. Il 25, martedì, mi recai all'ufficio di collocamento dell'Architect-in-Chief's Department e feci domanda di lavoro come disegnatore. L'incaricato che mi intervistò disse che c'era un posto libero, e chiese se ero disposto a sostenere una prova, per dimostrare le mie capacità. Accettai immediatamente e così fu deciso che sarei tornato alle due del pomeriggio.

Quando giunsi a casa, trovai nella cassetta una lettera dall'Italia: la prima dopo la partenza. In essa un caro amico, per incarico dei miei familiari, mi dava il triste annuncio della morte di mio padre. Memore del suo insegnamento che la vita deve continuare sempre, con la lettera in tasca uscii nuovamente e all'ora stabilita entrai nell'ufficio. Non ci fu bisogno di tanti discorsi: mi fecero sedere e mi dissero di riprodurre il piano di un lavoro già in esecuzione. Ogni tanto mi asciugavo una lacrima.

Credendo che mi trovassi in imbarazzo, un ragazzo dell'ufficio si avvicinò per offrirmi il suo aiuto. Gli feci vedere la lettera e gliela tradussi in poche parole. Allora mi fece le sue condoglianze e ritornò al suo posto. Nel giro di pochi minuti, tutti gli impiegati dell'ufficio fecero altrettanto. Compreso il capufficio, che era la persona dalla quale ero stato intervistato al mattino. Alla fine della prova mi fu assicurato che il posto era mio. Dovevo solo attendere la lettera di conferma da parte del Public Service Commissioner. Ritornai a casa soddisfatto, anche se il cuore era sanguinante.

Per le successive due settimane attesi con ansia l'arrivo del postino. Nessuna novità. La terza settimana ritornai dal capufficio. Ricevetti l'assicurazione del posto: dovevo solo aspettare il ritorno del responsabile delle assunzioni, che era a casa per malattia. Stanco di rinvii, il giorno 19 ottobre decisi di chiedere un appuntamento con il ministro dei Lavori pubblici, dal quale dipendeva il dipartimento.

Mi presentai al suo ufficio verso le dieci del mattino e parlai del mio caso con la segretaria. Lei prese nota di quanto dissi e poi mi chiese di aspettare. Ritornò quasi subito e disse che il ministro mi avrebbe ricevuto entro brevi minuti. E così avvenne. Il ministro si presentò sulla porta del suo ufficio e, chiamandomi per nome, mi invitò a entrare. Mi fece accomodare di fronte al suo tavolo e incominciammo la nostra conversazione.

Mi fu nuovamente assicurato che il posto era mio. Dovevo attendere, però, il ritorno del responsabile. Tentai di far capire che i pochi fondi a mia disposizione si stavano esaurendo, ma per l'ennesima volta ricevetti l'esortazione ad attendere. Allora tentai l'ultima carta. Estrassi dalla borsa il certificato ricevuto ad Asiago alla fine del 1946 e glielo presentai. Come vi ebbe dato uno sguardo, il ministro si alzò di scatto e mi salutò militarmente. Si avvicinò quindi a me e mi abbracciò. Mi invitò quindi a raccontare la mia storia davanti a una tazza di caffè, che la segretaria aveva nel frattempo preparato. Motivo della sua commozione era il fatto che anche lui era stato prigioniero in Giappone, ma non aveva trovato un buon samaritano.

Alla fine del colloquio, mi congedò con la promessa che avrei ricevuto entro brevissimi giorni la lettera di assunzione. Arrivò infatti il lunedì successivo e potei cominciare il lavoro martedì 23 ottobre. Da quel giorno si interessò sempre di me e caldeggiò vivamente la mia iscrizione al corso di architettura, che iniziai presso l'Institute of Tecnology of South Australia, ora University of South Australia, nel 1957, due settimane dopo che avevo sposato Floriana.

Il 14 gennaio 1958 nasceva il nostro primo figlio, Domenico, che oggi è medico. Più tardi nacquero Carlo, architetto; Andrea, insegnante di scuola media superiore; Caterina, assistente sociale.

Per oltre trent'anni ho prestato servizio nello stesso dipartimento, con un buon avanzamento di carriera. Raggiunsi infatti il grado di Senior Architect. Mi ritirai a vita privata nel 1987 per limiti di età. Ora mi dedico a tante altre cose e, di quando in quando, alla mia professione. Preferisco però lasciare il campo ai giovani. Sto ora preparando la storia del mio paese in inglese per i miei figli e per quelli di tutti i Panozzo, emigrati negli Stati Uniti, nel Canada e in Australia per dare un avvenire migliore alle loro famiglie. Unirò a tale storia un capitolo con tutti gli alberi di famiglia a partire dal 1735 fino ai giorni in cui l'emigrazione verso i territori anglofoni venne a cessare. Tali alberi di famiglia sono già completati fino all'anno 1878. Faccio questo per l'affetto che ancora nutro per Treschè Conca e per la vasta schiera dei Panozzo nel mondo. Voglio che anche chi è nato lontano conosca quanto di interessante ci può essere nella storia del nostro paese e almeno i nomi di quelli che li hanno preceduti». Molti di coloro che mi hanno aiutato nei primi tempi, se ne sono andati. Li ho accompagnati uno a uno all'ultima dimora, ma il ricordo della loro generosità vive sempre nel mio cuore.

GIULIANO FANTINO
FRIULANO DI FERRO

Il capo della polizia di London, una città canadese di 310 mila abitanti, è friulano. Si chiama Giuliano Fantino, nato nel 1942 a Vendoglio, un paesetto del comune di Treppo Grande in provincia di Udine. A sua disposizione ha 577 uomini e un *budget* di 37 milioni di dollari. Circa 47 miliardi di lire. Partì dall'Italia nel 1953, con la madre Maria e il fratello Pierino, per raggiungere il padre Giovanni, che li aveva preceduti sulla via dell'emigrazione. Non parlava inglese, non conosceva nessuno. Al suo paese era un ragazzo che «sapeva il fatto suo», come raccontano i suoi amici. A Toronto si trovò spaesato, solo.

I genitori lavoravano entrambi e rimanevano assenti tutto il giorno. Le preoccupazioni familiari erano notevoli, poiché c'erano i debiti da pagare. La casa era angusta: due stanze in affitto, il gabinetto in comune con le altre famiglie. Non è preistoria: è l'emigrazione del secondo dopoguerra, che contribuì in maniera notevole al decollo economico dell'Italia. Ma pagò, ancora una volta, un forte scotto.

Giuliano passa i primi mesi in casa. Sente il peso dell'estraneità, la sofferenza della lontananza. Poi va a scuola, e le cose cominciano a girare, sia pure con difficoltà. Aveva fatto le scuole elementari in Italia, ma non conosce l'inglese. Deve ricominciare dalla terza; e naturalmente deve conoscere la lingua. Ha però la fortuna di incontrare una maestra, che prende a cuore il suo caso e nel pomeriggio gli insegna l'inglese nella sua casa. «È stato un periodo difficile – racconta. – Quando arrivammo a Toronto io, mia madre e mio fratello, eravamo come smarriti. La città mi apparve tetra e gelida; la gente diffidente e ostile. A scuola provai la stessa impressione di rifiuto. Non c'era nessun italiano, e perciò non potevo parlare con nessuno. Fui relegato negli ultimi banchi, come uno scolaro inesistente».

Tutto fu difficile: il clima, il lavoro, l'ambientamento. Per Giuliano e per tutta la famiglia. Tanto più che due membri di essa, un fratello e una sorella, erano rimasti in Friuli. Un quadro che non ha bisogno di commenti. È utile ricordare, però, che questo racconto è esemplare. Non è soltanto la storia della famiglia Fantino. È la storia di tantissime famiglie, che conquistano l'agiatezza o addirittura il successo in emigrazione, ma pagando duramente.

Giuliano frequentò la scuola fino a quindici anni, quindi decise di mettersi a lavorare. Fece lavori modesti: il manovale, l'operaio senza qualifica... Poi frequentò qualche corso e fece anche il radiotecnico. Un po' di tutto, insomma. Ma a vent'anni scopre la sua vocazione. Fare il poliziotto. Presenta per tre volte la domanda, e per tre volte viene respinta senza motivazioni. Le ragioni di questa tenacia non sono però soltanto la conquista di un lavoro che ponesse fine all'incertezza, o la possibilità di una carriera che poteva offrire buone prospettive. Furono anche la volontà di rappresentare la comunità italiana, in una istituzione in cui non aveva voce; e quindi il desiderio di essere utile a questa comunità.

L'attesa fu lunga e dura. Negli anni Sessanta, a Toronto, per un italiano era più facile fare il ladro che il poliziotto. C'era una chiara ostilità ad accogliere stranieri in una istituzione dominata dall'etnia anglosassone. Nei confronti degli italiani, in particolare, c'erano ancora più forti pregiudizi, a causa di una recrudescenza della criminalità nella Toronto degli anni Sessanta, attribuita a cittadini di origine italiana.

Si pensò di trovare un rimedio inducendo la polizia a cambiare politica, e in particolare a togliere l'ostracismo agli italiani. E così, nel 1968, la quarta domanda di Giuliano viene accolta. «Questo non significa che l'ambiente fosse mutato – ricorda. – Il predominio anglosassone rimaneva tale e quale: chiuso e ostile nei confronti degli stranieri. Però c'era bisogno di noi, soprattutto italiani. Ce la mettemmo tutta: lavorammo con maggiore impegno, con maggiore disponibilità, con assoluta integrità per meritarci la fiducia e sfatare i pregiudizi».

Perché c'era bisogno degli italiani? La risposta è semplice. I poliziotti canadesi non sapevano che pesci pigliare. Non capivano l'italiano; e, quando fossero riusciti ad avere un buon interprete, questi non sarebbe riuscito certo a districarsi nella selva dei dialetti. Se si voleva combattere la malavita italiana, insomma, era necessario contrapporre una polizia italiana.

Oltre alla lingua e ai dialetti, occorreva conoscere la mentalità degli italiani, per evitare di prendere lucciole per lanterne e scambiare per rissa un dialogo soltanto animato. Un esempio quasi esilarante ci è offerto da un provvedimento, che fu in vigore per qualche anno a Toronto. La domenica venivano spediti nella *Little Italy* di Toronto decine di poliziotti allo scopo di sedare i tumulti. E i tumulti erano innocue discussioni sportive, nelle quali si infervoravano decine di connazionali all'uscita dai bar e dai ristoranti. Il *self control* anglosassone non poteva concepire che si potesse discutere a voce alta, gesticolando freneticamente, come si usa spesso nell'Italia del Sud e del Nord.

Comunque una certa vocazione del poliziotto Giuliano ce l'aveva. Lo riconosce lui stesso, quando afferma che se fosse ritornato in Italia, come fecero suo fratello e sua madre dopo dieci anni di emigrazione, si sarebbe arruolato nella polizia italiana. Paese che vai polizia che trovi, quando c'è la stoffa. Fantino se la cavava bene con i dialetti della penisola; aveva amici dappertutto; aveva sempre saputo accattivarsi la stima e la simpatia della gente. Fu quindi impegnato al massimo fin dai primi giorni. Magari in pattuglia a *Little Italy*, dove si trovava particolarmente a disagio, quale esponente di un'autorità tutt'altro che benevola.

Opera quindi in zone difficili. Prima in divisa e quindi in borghese. Passa dal servizio di pattugliamento alla squadra antidroga e poi a quella investigativa. Un lavoro duro, serio, tenace, che non rimane inosservato. Nel 1975 ottiene la promozione a sergente: il grado più impervio. Gli viene affidata la squadra investigativa in borghese. Diventa quindi detective e per otto anni guida la squadra omicidi.

«Ho risolto l'ottantacinque per cento dei casi di omicidio, che mi sono stati affidati – dichiara con orgoglio. – Ma il Canada è un paese immensamente grande, con uno scarso controllo nel settore dell'immigrazione a causa di leggi troppo permissive. Qui entrano i rifiuti di tutto il mondo; ma la polizia si trova spesso con le mani legate, poiché vengono privilegiati gli interessi dell'individuo rispetto a quelli della collettività».

Ci siamo fermati, nel resoconto della carriera, al

punto in cui Giuliano Fantino è detective. Ma la strada è ancora aperta. Viene promosso ispettore e destinato al comando centrale, dove gli vengono affidate le «grandi emergenze». Poi diventa capo distretto a Downmills e successivamente a Toronto Centro Est; quindi capo della *Criminal Intelligence* e di tutta la polizia in divisa. Per raggiungere il vertice gli mancano pochi gradini. Ma a questo punto il nostro eroe, e tale è diventato nel corso di questo racconto anche se lo spazio è troppo breve per consentire il racconto di qualcuna delle sue numerose «avventure», lascia la polizia di Toronto e diventa il capo di quella di London.

London è la seconda città dell'Ontario. Ci vivono circa diecimila italiani, di cui almeno duemila friulani. I poteri della polizia in Canada sono molto vasti. Può indagare senza avvisi di garanzia e trascinare in giudizio qualsiasi cittadino, senza cozzare contro immunità. Per promuovere un'azione giudiziaria non ha bisogno di autorizzazioni di alcun genere.

Per l'accesso ai posti di maggiore responsabilità valgono i titoli di studio e le capacità personali. Ma valgono soprattutto i precedenti. Quelli di Giuliano erano tali da rendere legittima la sua affermazione, «che i poliziotti italiani sono fra i più stimati dai canadesi, poiché sanno unire, a un fiuto particolare, l'intelligenza, il tatto e l'umanità».

L'orgoglio dell'ex emigrato salta fuori da questa affermazione. Ma è un orgoglio più che legittimo. Se rivediamo le tappe della sua storia, ci accorgiamo di quanto sia lungo il cammino percorso. Toronto è una metropoli di tre milioni e mezzo circa di abitanti. Giuliano partì da uno degli ultimi banchi della classe terza elementare e raggiunse i vertici del potere. Una bella scalata, certo. Ma più che bella, dura e irta e pericolosa. Ci sarebbe piaciuto raccontarla nei dettagli: avrebbe potuto risultarne uno di quei film polizieschi americani che animano le nostre serate televisive, ma avremmo trascurato l'emigrato. Il protagonista sarebbe diventato l'«eroe», che le cronache di Toronto hanno citato molto spesso, non dimenticando di dire che è italiano.

Ma la domanda finale, come in un film di Alfred Hitchcock è quasi d'obbligo. Perché ha lasciato Toronto? È presto detto. Si è scontrato con i politici cittadini, a causa della sua schiettezza friulana; e non ha voluto approfondire le polemiche, tanto più che London gli ha offerto subito il posto di comando. Ma a Toronto sono tanti che scommettono sul suo ritorno. Quando sarà? Lo vedremo insieme in una prossima puntata. Forse non lontana.

«COMBATTEREMO INSIEME LA NOSTRA BATTAGLIA»

Cecilia Gagliardi Coro è nata a San Giorgio La Molara, in provincia di Benevento, il 6 novembre 1932. L'abbiamo potuta incontrare nella sua nuova casa di Adelaide, dove risiede da qualche anno con la giovane figlia Paola. A parlarci di lei, della sua storia e soprattutto della sua forza d'animo, è stata la figlia Anna, a Coober Pedy, nel cuore del deserto australiano. Anna, con il marito Rodda e i fratelli Robert e Davide, gestisce due delle più grandi strutture alberghiere del centro minerario, che in passato ha accolto parecchi italiani. Come loro, anche i Coro furono veri pionieri, nella rischiosa immensità del deserto australiano. Coober Pedy, trascrizione inglese del nome Kupa Piti che gli aborigeni avevano dato alla località, è la capitale australiana dell'opale.

Cecilia, ritornando alla nostra protagonista, giunse in Australia nel 1951 con il fratello Giorgio, «chiamati» entrambi dal padre, che lavorava già da alcuni anni ad Adelaide. «Mi costò molto, – confida – poiché in Italia rimanevano la mamma, una sorella e un altro fratello». Un viaggio lungo: trenta giorni di navigazione su oceani tutti uguali. I due giovani sapevano che la meta era l'Australia; ma tutto intorno c'era un vuoto immenso. Il racconto di Cecilia è ancora percorso da quel lontano sbigottimento.

Ma il padre aveva scritto che ci poteva essere un buon avvenire per la famiglia. Non era possibile rifiutare l'appello e rimanere a casa con la madre e gli altri fratelli. «Furono tempi duri, abitavamo in una baracca», conclude la prima parte del racconto con velata commozione.

Qualche mese più tardi partì un altro fratello: Francesco; e quasi due anni dopo partirono la mamma e una sorella. Ma non fecero in tempo a vedere il capofamiglia, morto qualche giorno prima del loro arrivo. «Noi eravamo già inseriti nella nostra nuova patria – racconta Cecilia. – Lavoravamo tutti e tre: io, mio padre e mio fratello. Attendevamo con ansia l'arrivo della mamma e della sorella. E invece una brutta mattina mi telefonarono al lavoro, perché a mio padre era venuto un malore... E invece fu la fine. Quando giunsi all'ospedale, se ne era già andato».

Fortunatamente erano riusciti a costruire una casa e così, quando giunsero le due nuove emigrate, fu possibile ricostituire una famiglia nonostante la gravissima perdita. Una famiglia comunque incompleta, poiché in Italia rimanevano un altro fratello e un'altra sorella con le rispettive famiglie. Le storie di emigrazione sono come le scatole cinesi: ad approfondirle anche con le domande più discrete, schiudono nuovi filoni di fatti e di sentimenti, che portano sempre più lontano, sempre più a fondo. Ne abbiamo ascoltate tante, e in tutte abbiamo colto esperienze irripetibili. Anche se, viste in superficie, sembrano uguali.

«Mi sposai all'inizio del 1954, qualche mese dopo la morte di mio padre. Mio marito si chiamava Umberto Coro, originario di Borgoricco, un paese della provincia di Padova. Era emigrato in Australia con due fratelli e aveva lavorato con mio padre nel campo delle costruzioni edili. Prima alle dipendenze, poi per conto proprio. In società con mio padre».

La vita e gli anni scorrono implacabili. Anni di lavoro, di fatica, ma anche di crescita. Nascono i figli: prima Anna, poi Robert, terzo Davide, ultima Paola. Siamo nel 1972, la famiglia Coro è passata attraverso avventurose vicende, ma ha costruito il suo avvenire.

«Dopo il matrimonio smisi di lavorare, poiché sono arrivati i figli. Ma quando ci trasferimmo a Coober Pedy, le cose cambiarono totalmente». E qui comincia un nuovo capitolo della storia, che vede anche i fratelli di Umberto: Giuseppe e Attilio Coro, nel ruolo di protagonisti. I due, all'inizio degli anni Cinquanta, decisero di tentare la fortuna a Coober Pedy cercando opali. Le cose andarono abbastanza bene e con quelli che trovarono gli fu possibile acquistare un negozio con annesso ufficio postale. Ma un furioso incendio nel novembre del 1962 mandò in fumo tanti sacrifici e tante speranze. «Nel marzo dell'anno successivo ci trasferimmo anche noi: io, mio marito e i tre bambini, per iniziare insieme la ricostruzione di quanto era stato distrutto dalla sciagura».

È l'inizio dell'affermazione dei fratelli Coro. Al negozio e all'ufficio postale si uniscono una grande struttura alberghiera e un forte potenziamento dell'attività estrattiva dell'opale. Ma le sventure non vengono mai sole. Nel 1975 un nuovo incendio distrugge l'albergo: i Coro sono a terra. «Però ancora una volta abbiamo vinto – dichiara con orgoglio Cecilia. – Abbiamo venduto un'altra proprietà e così ci è stato possibile, con ulteriori sacrifici, costruire il nuovo albergo».

Alcuni anni dopo, nel 1986, la terza sventura: muore Umberto. Si era recato ad Adelaide per affari e al ritorno un brutto incidente d'auto pose fine ai suoi giorni. Cecilia ricorda il tragico avvenimento con commozione profonda. «Non riuscivo ad accettarlo, ma trovai la forza per riprendermi, pensando a lui. Non potevamo lasciar andare tutto quello che lui aveva costruito. Così mi parve di rispettare la sua volontà, lavorando più di prima».

Una lunga odissea, dalla quale emerge la tenacia di una donna coraggiosa, che ha saputo essere madre e moglie, ma anche energica collaboratrice del marito. Quando parla in prima persona, si avverte l'orgoglio di questa collaborazione. Nella nostra ormai lunga frequentazione della realtà migratoria, abbiamo sperimentato che l'uomo è quasi sempre il protagonista del successo economico della famiglia. Nel presente caso invece, nonostante una certa reticenza, abbiamo l'impressione che anche Cecilia abbia avuto un ruolo determinante. «Quando, subito dopo il matrimonio, vivevamo ad Adelaide, – racconta eludendo un po' la nostra domanda – io non potei lavorare, poiché avevo una famiglia e mio marito costruiva case. Quando ci trasferimmo a Coober Pedy, invece, lavorammo fianco a fianco e potei essergli di grande aiuto».

Coober Pedy trent'anni fa era un deserto: polvere, insetti, una siccità biblica. Eppure fu proprio Cecilia a dire: qui possiamo costruire l'avvenire della nostra famiglia, lavorando insieme. «I bambini stavano in collegio e tornavano a casa tre volte l'anno: a maggio, a settembre e a Natale. E noi abbiamo lavorato duro. Quando eravamo giunti al traguardo e avevamo superato anche la rovina del secondo incendio, la disgrazia capitata a mio marito mi portò alla disperazione. Tanti sacrifici, tante speranze non ebbero più senso. Mi salvai grazie all'aiuto dei miei figli; ai consigli di una dottoressa, che fu come una sorella; e al conforto della fede, che illuminò il buio del mio dolore».

Quale insegnamento ha tratto da questa esperienza? «Innanzitutto che bisogna darsi coraggio e avere fede. Me lo insegnò mia madre, quando ero fanciulla. Come mi insegnò che la vita ha sempre un perché e che la fede lo avvalora per il presente e per il futuro. Quando si è lontani dal proprio paese, tutto diventa più difficile. E di fronte alle difficoltà, ci si chiede perché siamo qui, perché ce ne siamo andati. Ma bisogna far rinascere la speranza ogni giorno: per sé e per la propria famiglia. Questa è la lezione che ho tratto dalla mia emigrazione. E credo che altrettanto abbiano fatto, o siano state costrette a fare, tutte le donne che l'hanno vissuta e la vivono».

Sono parole nobili e forti, che riassumono il ruolo della donna in emigrazione. È vero che deve avere una marcia in più? «Non so rispetto a chi, poiché credo che anche le donne in Italia o negli altri paesi del mondo abbiano i loro gravi problemi. Certo è che la donna in emigrazione deve lottare costantemente, per tenere unita la sua famiglia. Ai conflitti generazionali, presenti in tutte le famiglie del mondo, si aggiungono la diversità culturale fra genitori e figli, nati e cresciuti in due paesi diversi; e spesso anche la difficoltà di comprendersi, se i genitori non hanno imparato bene la nuova lingua e i figli non conoscono la loro. Ritengo però che la famiglia italiana all'estero sia molto più unita di quella delle altre etnie. Almeno in Australia».

Tre dei suoi figlioli sono impegnati nelle varie attività dell'azienda familiare a Coober Pedy, mentre la più piccola di nome Paola, ventenne, vive con lei ad Adelaide e studia all'università. Parlano italiano? «Anna sì, a differenza degli altri tre. L'italiano ora serve poco in Australia, e sono molti i figli di italiani che non lo conoscono. Parlano inglese fra di loro, perché hanno frequentato le scuole inglesi e vivono in un ambiente in cui questa lingua ha la preponderanza. Ma questo non significa che i miei figli, e i moltissimi altri figli di connazionali, non si sentano italiani. Nello spirito sono tali. E sono orgogliosi di esserlo. Paola in modo particolare».

Quello della lingua è un argomento importante, che abbiamo affrontato in molte interviste. Generalmente ci viene risposto diversamente da quanto ha fatto Cecilia Gagliardi Coro. Ci viene detto che i figli conoscono le due lingue, e in casa parlano quella dei genitori. Cecilia ritiene che non sia condizione necessaria, per conservare il legame con le proprie origini: «L'italianità, secondo me, è un valore che si conserva nell'animo. E si esprime nell'attaccamento alle tradizioni e ai valori della propria origine più che alla lingua, destinata a perdersi attraverso le generazioni».

PADOVANA A PITTSBURGH SOGNA ITALIANO

Sono nata a Camposampiero, un paese in provincia di Padova, nell'agosto del 1957. Nel 1974 mi trasferii a Padova con la mia famiglia. E qui, dopo aver completato il liceo classico, mi iscrissi alla facoltà di giurisprudenza. Nel 1981 mi laureai a pieni voti e iniziai la carriera legale: prima come praticante procuratore e poi, superato l'esame di ammissione all'albo professionale, come procuratore presso uno studio legale padovano. Durante quel periodo conobbi il mio futuro marito, un americano che studiava medicina a Padova, dopo essersi laureato in psicologia e in microbiologia alla New York University.

La simpatia reciproca si trasformò ben presto in un legame profondo e importante. Dopo due anni di fidanzamento, nel luglio del 1985 ci sposammo e io cambiai il mio nome Anna Frasson in Anna Gray. Rimanemmo in Italia per un altro anno: io lavoravo e mio marito, intanto, completava i suoi studi. Il 15 giugno 1986 attraversai l'oceano. Meta: New Rochelle, una cittadina nello stato di New York, dove mio marito iniziò la specializzazione in chirurgia. Nel 1990 ottenni il *Master* in diritto internazionale presso la

New York University, e ora, dopo vari traslochi per motivi di lavoro, vivo a Pittsburgh: una grande città della Pennsylvania, e ho due figli di sei e tre anni.

Le esperienze acquisite, e fortemente vissute, mi hanno convinta che il ruolo della donna in emigrazione è profondamente cambiato in questi ultimi trent'anni. La vita americana scorre su binari troppo veloci, perché noi donne possiamo rimanere in casa. Mentre trent'anni fa un'emigrata poteva sopravvivere, anche senza conoscere una parola della lingua inglese, ora è necessario che la conosca bene. Il marito, lavorando spesso più di sessanta ore alla settimana, non è certo in grado di prendersi cura di tutte le questioni relative al *menage* familiare. E non mi riferisco alla spesa settimanale o al pagamento dei conti; ma a problemi di ben maggior rilievo, quali la rinegoziazione del mutuo per la casa con la banca, l'acquisto di una macchina nuova, la scelta di una assicurazione che garantisca la migliore assistenza medica. Tutti questi compiti richiedono, non solo la conoscenza della lingua, ma anche studio, ricerca, informazione. E collocano la moglie in un ruolo diverso: non più passiva spettatrice delle scelte del marito, ma attiva collaboratrice, se non operatrice in queste scelte.

L'emigrata in America ha trovato una nuova identità di donna forte, responsabile, capace di decidere autonomamente. Ma allo stesso tempo capace anche di offrire l'aiuto morale e il sostegno affettivo, di cui i nostri uomini hanno bisogno. Le aspirazioni maggiori sono, innanzitutto, di riuscire a inserirsi nella nuova società; in secondo luogo di organizzare una vita stabile e sicura per la famiglia. Il primo obiettivo lo si raggiunge imparando la lingua e creando un rapporto costruttivo con il nuovo mondo. È normale, appena arrivati, provare un senso di rifiuto e rifugiarsi nei ricordi. Ma bisogna superare questo stato d'animo e cercare nuove amicizie, nuovi legami, che consentano di essere meno estranei.

Fortunatamente, negli Stati Uniti ci sono innumerevoli associazioni, club, gruppi, che costituiscono un ottimo punto d'incontro. Anche le attività comunitarie della parrocchia sono un mezzo per uscire dall'isolamento ed espandere le proprie conoscenze. È importante trovare un posto nella nuova società: è un trampolino indispensabile per raggiungere qualsiasi altro obiettivo.

La seconda aspirazione, naturalmente, varia da persona a persona. Se il motivo dell'emigrazione è economico, qui non mancano certo le opportunità di lavoro. Se, come nel mio caso, le motivazioni sono di natura professionale, esistono mille agevolazioni, finanziarie e logistiche, che consentono anche agli estranei di completare o perfezionare i loro studi.

Tuttavia la mia patria è e sarà sempre l'Italia. Il fatto che i miei figli si formeranno la loro famiglia negli Stati Uniti, e i miei nipoti vivranno qui, non cambia minimamente il legame profondo che esiste tra me e la mia terra, e in particolare la mia città: Padova. Per me «patria» non è solo un concetto geografico. È una dimensione culturale, esistenziale. In Italia ho trascorso gli anni più importanti della mia vita: i miei gusti e il mio carattere sono in parte prodotto di quella società. Rinnegare l'Italia per un'altra patria sarebbe come rinnegare me stessa.

Gli Stati Uniti sono il luogo dove vivo; l'Italia è «the place of the hearth»: il luogo dove vive il mio cuore, come si dice in America. All'Italia corre il mio pensiero cento volte nel corso della giornata: non solo perché vi abitano i miei genitori, ma anche perché molti dei miei più bei ricordi sono legati agli anni vissuti a Padova. Quando i figli saranno grandi, spero di poter trascorrere parte dell'anno in Italia e parte qui, con i nipoti.

I ricordi della giovinezza sono vivi nel mio cuore, ora più che mai. Ricordo con gioia le meravigliose estati trascorse con la mia famiglia al mare, in un piccolo centro sull'Adriatico: Bibione Pineda. Ricordo perfettamente i nomi e i volti dei miei compagni di scuola di vent'anni fa. Ricordo con chiarezza il giorno della mia laurea, il mio primo bacio e anche il mio primo amore sfortunato. Se ci penso, posso sentire anche il profumo di primavera sospeso nell'aria nelle prime tiepide giornate del marzo padovano. Potrei andare all'infinito con i ricordi. Non sono scomparsi né annebbiati. Vivono nel mio cuore, come sicuramente vivono nel cuore di tutti gli altri emigrati. È la parte di patria che mi sono portata appresso e che nessuno, neppure il tempo, potrà mai togliermi.

Il prezzo che si paga, quando si lascia la patria, è alto. Io, non solo ho rinunciato a una promettente carriera legale, ma ho lasciato alle spalle una famiglia che amavo e amo molto. Ho rinunciato a poter abbracciare e vedere i miei genitori, quando ne sento il bisogno. Ho abbandonato le serate trascorse a chiacchierare e a scherzare attorno alla tavola con amici e parenti. Ho accettato di essere assente in tutte le occasioni, in cui avrei voluto e dovuto esserci: nascite, matrimoni e soprattutto la morte delle persone cui ero e sono legata. Non poter dire addio a una persona cui si vuole bene, ma ricevere solo la notizia della scomparsa, per telefono, è una esperienza estremamente dolorosa.

Ho rinunciato a tutte le mie abitudini: a passeggiare per il «centro», ad ascoltare la gente che parla la mia stessa lingua, a sedermi in un caffè all'aperto, a bere un cappuccino guardando i colombi che volano sulla piazza. Questo è il prezzo che ho pagato per emigrare. Ma ancora di più mi è costato guardare e accettare il dolore dei miei genitori, il giorno in cui sono partita. Non dimenticherò mai i loro volti disperati ma rassegnati al momento dell'addio.

Infine, ma certo non meno importante, la mia scelta ha avuto ripercussioni anche nei rapporti con i miei figli. Abbiamo patrie diverse, bandiere diverse e lingue diverse. Il prezzo dell'emigrazione non si comprende pienamente all'inizio: l'entusiasmo per la nuova terra e la nuova vita offuscano il lato negativo della partenza. È solo quando ci si trova soli a inventarsi questa «nuova vita», che si comprende pienamente quanto si è lasciato indietro.

L'emigrazione ha senza dubbio arricchito la mia personalità. Appena arrivata negli Stati Uniti, mio marito ha iniziato subito a lavorare e rimaneva assente anche per due giorni consecutivi. Così mi sono trovata a dover risolvere tutti i problemi quotidiani, cercando di comunicare con il poco inglese che conoscevo. Certe volte la gente non capiva, oppure rifiutava di capire. Ma io non demordevo. Non mi sono mai lasciata abbattere e ho sempre raggiunto il mio scopo. Questa esperienza mi ha insegnato quali sono i miei limiti. Ma mi ha anche reso forte, indipendente, consapevole delle mie capacità. Questo è un traguardo che probabilmente non avrei mai raggiunto, se fossi rimasta in Italia, dove la mia vita avrebbe percorso binari prestabiliti: senza grandi difficoltà, ma anche senza grandi vittorie.

A proposito di vittorie, uno dei momenti che amo ricordare è quello in cui ricevetti il *Master* all'università di New York, in una solenne cerimonia di fronte a centinaia di persone. Altri ricordi indelebili sono il giorno in cui nacquero i miei figli e il primo Natale che i miei genitori trascorsero in America. Sembrava di essere a casa, l'allegria, le risate, le discussioni fino a tarda notte... Niente era cambiato, nonostante vivessi lontana già da molto tempo.

Da ultimo non dimenticherò mai l'incredibile emozione che provai, guidando per la prima volta sulle autostrade degli Stati Uniti. Guardando le immense distese di boschi, ho capito la bellezza di questo grande paese e ho cominciato ad amarlo.

IL RITORNO IN PATRIA
È BELLO NEI SOGNI

Il mio nome è Maria Longo e sono nata a Bordighera, da genitori italiani che si erano sposati in Francia. Erano molto poveri e perciò, quando giunse il tempo della mia nascita, mia madre attraversò il confine e si fece ricoverare nel centro italiano più prossimo. In quegli anni il regime fascista, che voleva incrementare la popolazione, premiava la famiglia con mille lire, se nasceva un maschio; con cinquecento, se nasceva una femmina. Abbiamo sempre abitato nella Riviera di Levante, tra Mentone e Antibes, dove esistono grosse comunità italiane.

Mio padre emigrò all'età di vent'anni da Predazzo, nel Trentino; mia madre, invece, quando ne aveva quattro. Si conobbero perché lui fu ospite nella pensione dei genitori di lei. Si sposarono come a quei tempi si sposavano molti: per amore. Ma non avevano niente. Mio padre non era mai stato a scuola: analfabeta ma bravo lavoratore. Mia madre, invece, sapeva leggere e scrivere alla perfezione, e parlava benissimo il francese. Dopo la guerra riuscirono a sistemarsi discretamente con una piccola segheria. Lei teneva l'amministrazione, lui badava agli affari e al lavoro. Ma la situazione si fece difficile a causa dell'ostilità dei francesi nei nostri confronti.

L'Italia aveva attaccato a tradimento la Francia, dicevano; dopo che la Francia aveva aperto le porte a tanti lavoratori, e assicurato loro un pane che in Italia non avrebbero avuto. E così dovemmo andarcene e riparammo a Ventimiglia. Ci rimanemmo tre anni e poi nel 1950 emigrammo in Australia. Abitavamo in una cittadina di nome Frenchs Forest, dove c'era una scuola elementare di terza categoria, con tanti bambini di età diversa in una stessa classe. Dopo di me nacquero altre due bambine, e mio padre ci teneva tantissimo che andassimo a scuola. Anche se era di terza categoria. «È la cosa più importante per farsi strada nel mondo – diceva. – Senza scuola uno non ha avvenire». Di questa scuola mi è rimasta impressa soprattutto una circostanza: la lezione del prete. Io ero l'unica cattolica in una classe di protestanti. Perciò, quando veniva il prete, protestante anche lui, io dovevo uscire.

Forse fu per questo, oppure perché la scuola non mi piaceva proprio, ma il fatto è che ci andai per breve tempo. Con vivo disappunto di mio padre, che era sempre della stessa idea. E cominciai a fare la pantalonaia, entrando nel mondo degli adulti con viva soddisfazione. Lavoravo a domicilio, facendo la spola tra France Poves e Sydney per ritirare i capi da confezionare e consegnare quelli confezionati. A quel tempo si viveva bene. Lavoravamo io e mio padre, e non ci mancava niente.

Fu allora che conobbi Ernesto, destinato a diventare mio marito. Una storia come tutte le altre, belle per chi le ha vissute. Ernesto abitava presso un fratello, che era stato prigioniero di guerra in Australia. Qui aveva conosciuto una ragazza del posto e, finita la guerra, la sposò. Ci incontrammo per caso. Io andavo a Sydney ogni settimana; lui, a tempo perso, faceva le consegne per conto di un negozio italiano. Nacque subito una reciproca simpatia. Ci sposammo nel 1955. Gli posi però una condizione: «Io ti sposo, ma tu mi riporti in Italia». Infatti, nonostante gli anni ormai passati, non riuscivo ad abituarmi a vivere così lontano. Ernesto non fece opposizione. La ditta, presso la quale aveva lavorato in Italia, lo invitava a tornare. L'avrebbe fatto, se non avesse incontrato me. Comunque, sulle prime, parve che la cosa fosse realizzabile.

Ma nacque il primo figlio, e ci trasferimmo a Perth. Ci pareva di essere più vicini all'Italia, perché avevamo lasciato alle spalle migliaia di chilometri di questo sterminato paese. Trentotto anni fa, tanti sono quelli di mio figlio, nell'Australia occidentale c'era ben poco rispetto a quanto c'è adesso: città e cittadini e grandi strade... Perth fu una delusione: ci trovammo peggio che a Sydney. La città era piccola, le domeniche erano deserte e silenziose.

Trovammo ospitalità presso una famiglia di lontani cugini, che commerciavano in liquori. Brava gente, di origine calabrese e molto timorati di Dio. Rimanemmo presso di loro per alcune settimane, e poi trovammo una casetta per conto nostro. Nel frattempo avevamo acquistato un negozio di frutta e verdura. Ma né io né Ernesto avevamo esperienza, e così le cose andarono male fin da principio. A quel tempo avevo poco più di vent'anni e desideravo solo di tornare in Italia. Quel negozio non mi era mai piaciuto. Quando le cose volsero al peggio e giungemmo quasi alla bancarotta, intervenne mio padre. «Vengo io – disse. – Non mollate, ché vi darò una mano». Effettivamente la sua presenza e la sua esperienza furono provvidenziali. Le cose un po' alla volta si raddrizzarono e cominciarono ad andare per il verso giusto. Ma quanto lavoro, quanto sacrificio, quante rinunce.

Per tre anni non uscimmo di casa, se non per andare alla messa. Ci alzavamo presto al mattino e la giornata non finiva mai prima delle dieci di sera. Però riuscimmo a mettere da parte qualche risparmio e comperammo un pezzo di terra per costruire la nostra casa. Intanto sono nati Domenico e Giuseppe, che recarono alla nostra famiglia una grande ricchezza di affetti e a noi genitori ulteriore determinazione a lavorare sodo.

Nel 1965, ritornammo in Italia. Avevamo pagato la casa e il negozio, affidati entrambi a mio padre e a mio cognato. Tentammo, soprattutto io, di costruirci un nuovo avvenire in patria. Ma le cose non furono facili. Io credo che i ritorni in patria siano belli nei sogni, ma difficili nella realtà. Dicono che c'è un «mal d'Africa»; ma credo che ci sia anche un «mal di Canada», un «mal d'Australia», che riconduce l'emigrato sui propri passi, ove tenti di spezzare il suo destino.

Mio marito l'ebbe di sicuro. Mentre io insistevo per rimanere in Italia, lui volle ritornare. E fu bene perché, dopo un po' di tempo, riuscii ad ambientarmi in maniera assai più soddisfacente di quanto fossi riuscita a fare durante gli anni del primo soggiorno. Forse, alla prova dei fatti, anch'io avevo perduto il mio «sogno italiano».

Comperammo un pezzo di terra vicino al mare. Nei pressi di una cittadina chiamata St. James, non lontana da Perth. Io avevo sempre abitato in un paese di mare, mentre Ernesto era nato e aveva vissuto in montagna prima di emigrare. Amava molto le sue montagne del Trentino. Tuttavia rinunciò a costruire la nuova casa in una località montuosa, dove pure aveva trovato un terreno favorevole, per fare piacere a me. Gliene fui veramente grata.

Furono anni buoni. Si lavorava, si guadagnava bene... I ragazzi andavano a scuola e dimostravano tanta buona volontà. Ma poi le cose volsero al peggio. Ancora una volta. Il traffico fu deviato dal luogo in cui sorgeva il nostro negozio e di gente se ne vide sempre meno. Gli incassi calarono e alla fine non rimaneva più un margine sufficiente per dare da vivere a due famiglie: la nostra e quella di mio cognato, che nel frattempo era subentrato a mio padre nella gestione del negozio.

A raccontarla sembra una storia piana di normale esercizio commerciale. E invece per noi, che l'abbiamo vissuta, fu una storia piena di preoccupazioni e di angoscia. Quando si è lontani dalla propria terra, tutto sembra facile, se le cose vanno bene. Se invece vanno male, tutto diventa terribilmente difficile.

Finì che cedemmo a mio cognato la nostra quota del negozio di frutta e verdura, e acquistammo una rivendita di giornali. Ma nemmeno qui le cose ci andarono bene. Intanto la zona rimase bloccata per un lungo periodo di tempo a causa di grandi lavori edili; e poi eravamo via da casa tutto il giorno e mi doleva il cuore di lasciare i due figli a casa da soli. Quando nacque il terzo, una bambina di nome Anna Maria, presi la decisione di restare a casa. Al negozio le cose si erano un po' sistemate con la riapertura del traffico, e mio marito poté prendersi un aiuto. Soltanto allora mi sentii gratificata per tanti sacrifici. Come donna e come madre. La mia casa, mio marito, i miei figli e un po' di tranquillità. Ma quante ne abbiamo passate.

Nel 1983, dopo diciotto anni, siamo ritornati in Italia. Io, Ernesto e i nostri tre figli. In questa occasione mi sono accorta che, anche se ormai avevo fondato la mia casa in Australia, ero legata alla mia patria con tutto il cuore. Questo amore l'ho trasmesso ai miei figli, che però hanno accolto l'eredità dei loro due paesi. Sono tutti molto bravi. Domenico, il maggiore, ha lavorato in Inghilterra e ha viaggiato molto; Giuseppe, il secondogenito, si è laureato in legge e poi ha fatto il corso di *Master* negli Stati Uniti.

Gli anni sono passati velocemente, ma non mi lamento della mia storia. È come quella di tutte le altre donne, sia di quelle che vivono in patria, sia di quelle che emigrano. Lavorare, faticare, sperare, far crescere i figli e poi, quando si può, aiutare gli altri. Faccio parte, anzi sono membro del comitato esecutivo, di una associazione: l'Anfe, che raccoglie le famiglie italiane emigrate in Australia, come negli altri paesi del mondo. Cerchiamo di assistere chi ha bisogno, di ritrovarci insieme, di alimentare il nostro indelebile «sogno italiano».

LA VOLONTÀ DI CRESCERE DILATA GLI ORIZZONTI

Ida Grigolo Pizzolato vive in Belgio dal 1947: emigrata con la madre e tre fratelli, per raggiungere il padre Giovanni, partito l'anno prima. «Ma mio padre – precisa – aveva già una vita di emigrazione alle spalle». Emigrò in Francia giovanissimo e per un certo periodo chiamò anche la mamma. Ma non resistette al clima e così fu costretta a tornare. Il padre rimase in Francia. Ma tornava regolarmente al paese, Rossano Veneto, in provincia di Vicenza, dove Ida nacque nel 1930. Rientrò dalla Francia nel 1941, a causa della guerra. Sperava di trovare un posto in Italia, ma gli andò male. Per lui, che aveva sempre lavorato all'estero, sembrava che non ci fosse niente da fare. E così riprese la via dell'emigrazione. Si trasferì in Germania, alleata dell'Italia in una guerra che andò a finire come sappiamo. Ma ci rimase soltanto un anno o poco più. Trascorse in Italia i due ultimi anni di guerra e poi, appena scoppiata la pace tanto attesa, via ancora una volta. In Belgio.

Aveva cinquantatré anni, era quasi anziano. Eppure affrontò la nuova emigrazione senza sconforti. Partì come se sapesse che il suo era un destino. C'erano tanti paesani e tanti italiani che si sistemavano nella loro terra. A lui invece, e a centinaia di migliaia come lui, toccò andarsene. Si vede che ognuno deve seguire la sua strada: e quando è dura, è fortunato se riesce a non lamentarsi. «Andò a lavorare in una cava di pietre a La Mallieur, in provincia di Liegi – racconta Ida. – Ma questa volta la solitudine gli pesava maggiormente, e quindi insistette perché la famiglia lo raggiungesse».

Ida aveva a quel tempo diciassette anni. Prima di lei c'erano una sorella di ventitré e un fratello di diciannove; dopo, un fratellino di quattro anni. Trovarono tutti lavoro, salvo il piccolino ovviamente. Però il fratello dovette rinunciare a fare l'impiegato, come desiderava, per lavorare in fonderia. L'ambientamento fu comunque difficile. «Salvo il fratello, che aveva fatto le scuole medie e sapeva qualcosa di francese, noi non eravamo in grado di comunicare. Al massimo qualche parola: buongiorno, buonasera, grazie e tanto piacere. Tutto qui».

Tuttavia ebbero una fortuna. Conobbero un cappellano, che riuniva i giovani del Movimento operaio cristiano nella sua canonica. Furono invitati anche i fratelli Grigolo e così poterono conoscere altre persone, giovani e adulti, e vedersi notevolmente spianato il cammino verso l'integrazione.

A diciannove anni Ida si sposa. Il marito, che si chiama Attilio Pizzolato, è italiano. Anzi vicentino. Lavorava nella stessa azienda del futuro suocero, La Carrière, che ebbe una rapida crescita e si attrezzò con macchinario moderno. «Il lavoro, quindi, diventò più leggero di quanto fosse stato all'inizio, sia per mio padre sia per mio marito».

Quando presentiamo queste storie vere, abbiamo sempre la tentazione di fare qualche considerazione. In questo caso sulla vicenda del padre, che conobbe soltanto la via di un volontario esilio; sulla vicenda dell'intera famiglia, che per lunghi anni fu divisa e poté riunirsi soltanto lontano dalla patria; sull'esperienza dei giovani figli, che seguirono la sorte del padre. Ma preferiamo astenerci dai commenti, perché ci pare che il racconto sia già molto eloquente.

Abbiamo parlato finora di una intera famiglia. Ora vorremmo sapere qualche cosa su Ida, nostra interlocutrice. Per esempio, qual è il ruolo della donna in emigrazione: angelo del focolare, oppure collaboratrice del marito nell'attività lavorativa? «Credo che debba essere l'una e l'altra. Io non avrei mai potuto sottrarmi ai miei impegni familiari. Ma non avrei mai accettato di rinchiudermi fra le pareti domestiche. Sentivo il bisogno di vivere in mezzo alla gente, di partecipare, di imparare...».

Quando nel 1953 nacque la prima figlia, Ida smise di lavorare, per dedicarsi interamente alla famiglia. Ma come la bambina raggiunse l'età di tre anni, che le consentì di essere accolta in una scuola materna, ritornò in fabbrica. «Fu molto importante per me, – dichiara – poiché mi consentì di riprendere i miei rapporti con l'ambiente di lavoro. Certo, essere madre e moglie, accudire a una casa e contemporaneamente lavorare in fabbrica è un forte impegno. Tanto più lo era al tempo di cui parlo, quando si lavorava otto ore al giorno dal lunedì al sabato».

Oltre alla quantità, era pesante anche la qualità del lavoro. All'inizio questo lavoro consisteva nel caricare vagoni ferroviari o automezzi con sacchi di cemento da 40-50 chilogrammi. Non era certamente adatto a una donna. Durò per un po' di tempo, poi cambiò. Dapprima in un magazzino, poi in una industria chimica, dove finì alle cucine. «Era un posto molto pulito e adatto alle mie capacità. Là finii la mia attività lavorativa, dopo oltre tredici anni di presenza ininterrotta».

Quali sono le aspirazioni della donna in emigrazione? «La crescita culturale, l'emancipazione dalle povertà tradizionali, la qualificazione... Frequentai un corso dell'Istituto superiore di cultura operaia, che è emanazione del Movimento operai cristiani: quattro anni, con una frequenza bisettimanale. Alla fine ottenni un diploma in scienze sociali e lavorai per conto del Movimento. Successivamente fui ammessa a un altro corso di formazione nel settore dell'emigrazione, che mi aprì l'orizzonte dei grandi problemi storici e sociali. A un certo punto mi chiesi a che servissero la coscienza di tante problematiche, a che cosa servissero tante nozioni, acquisite dai libri e ancor più dal dialogo con esperti e protagonisti del mondo migratorio. Poi capii che ne avevo tratto uno straordinario arricchimento della mia cultura e della mia umanità».

Per quanto la concerne, ritiene che la sua aspirazione più forte sia stata quella di una crescita globale della personalità: in tutti i campi. Anche e soprattutto in quello della fede, che ha coltivato costantemente con la frequentazione delle istituzioni cattoliche. «Quando assunsi il mio primo lavoro nel cementificio, sapevo che non sarei rimasta a lungo, perché si trattava di un lavoro troppo diverso dalle mie attese. E neppure in quelli successivi mi fermai, anche se potevo riceverne qualche gratificazione. Nonostante i periodi duri, sono sempre andata avanti e ora, nonna di una ragazza di ventuno anni e di un ragazzo di diciannove, mi sento molto realizzata».

Un percorso esistenziale esemplare, che conferma ancora una volta come la donna in emigrazione sia veramente custode dei valori della famiglia e collaboratrice del marito; vicina ai figli, ma anche coraggiosamente presente nel lavoro. Non dimentichiamo che Ida lavorò in un cementificio, compiendo una mansione che abitualmente esegue l'uomo. L'emigrazione è stata quindi occasione di arricchimento... «Certamente – è la risposta. – Un grande arricchimento, che mi è venuto dalle tante persone conosciute: di tutti i generi. Si prova un certo avvilimento, all'inizio, quando si ha l'impressione di essere stati cacciati dalla propria terra: e in questo senso l'esperienza di mio padre insegna. Ma poi si riflette, e si capisce che non c'è nulla di personale. Nessuno caccia l'emigrato per cattiva volontà: è la sua sorte, che lo conduce sulle vie del mondo. Una volta partito, è importante che si adegui alle nuove necessità. L'inserimento nella nuova società, l'apprendimento della lingua, l'impegno di partecipare e di sopravvivere a ogni costo aguzzano l'ingegno. L'emigrazione è una scuola di vita. Quanto meno perché ti proietta su due dimensioni: quella della terra in cui sei nato e quella della terra in cui ti ha condotto la sorte».

Due patrie, quindi. A quale delle due si sente maggiormente legata? «Potrei dire all'Italia, perché non ho mai smesso di sentirmi italiana e nemmeno l'ho nascosto, in tempi nei quali l'emigrato non era visto con occhio benevolo. Però sono anche perfettamente integrata in Belgio: ci sono nati e ci vivono i miei figli. Ritorno in Italia, quando mi viene il desiderio di respirare l'aria del mio passato; ma poi sento la mancanza della mia casa, dei miei familiari, delle mie conoscenze e delle mie abitudini... E tutto questo rimane in Belgio. Allora si può concludere che il migrante ha due patrie. Oppure che non ne ha più nessuna. E forse, per questo senso profondo di sradicamento, nasce il desiderio di trovare una terza patria ideale... Quella della nostra fede. Tutto ciò che ho ricevuto, frutto della mia lunga esperienza di emigrata, ho voluto trasmetterlo agli altri. Da oltre vent'anni faccio parte del direttivo della "Vicentini nel mondo" di Liegi e da sei anni ne sono presidente; collaboro con le Acli a livello personale e a nome della "Vicentini"; sono infine impegnata nelle iniziative socio-assistenziali de "Les équipes populaires", un'emanazione del Movimento operaio cristiano. Con le Acli e la "Trentini nel mondo" organizziamo incontri su temi specifici, che interessano gli anziani e i giovani. Noi crediamo molto al ruolo dell'informazione e crediamo che le associazioni trovino in tale ambito motivazioni prioritarie e speranze per il loro futuro. I giovani si aggregheranno solo se constatano questa nostra disponibilità e uno stile associativo aperto: allargato, meno campanilistico, in sintonia con le attese dell'Europa. Sarà possibile, per esempio, l'associazione dei triveneti?».

IL RECUPERO DEI VALORI SALVA LA PERSONA

Ritengo che raccontare la propria storia sia utile, qualora si possano trasmettere esperienze in qualche modo significative anche per gli altri. In questo l'emigrazione è una grande scuola, perché impone alle diverse realtà un adattamento, che plasma la persona e crea grande disponibilità ad accettare le cose belle e quelle meno belle della vita. Forse è stato proprio questa disponibilità, che ha reso la mia esperienza meno dura di quanto dichiari una tradizione stereotipata.

Il mio nome è Lorenzo Guolo: sono nato a Padova nel 1943, in una famiglia numerosa: genitori e sei figli, dei quali il primo si è fatto sacerdote. Emigrai a ventiquattro anni e sbarcai a Santos, in Brasile, l'11 novembre 1967. Non è stato uno sbarco avventuroso. Avevo infatti un punto di riferimento nel Cime: vale a dire nel Comitato italiano delle migrazioni europee, che aveva sedi a Roma e a Milano; ma ne aveva una anche a San Paolo, in Brasile.

Qui, in una vecchia costruzione che un tempo offrì accoglienza agli schiavi liberati, trovai alloggio e ospitalità. Colazione, pranzo, cena e in più, una volta alla settimana, qualche soldo per le spese personali. Oltre a tutto questo, che è doppiamente importante per chi deve contare soltanto sulle proprie forze in un

225

paese straniero, l'organizzazione procura i documenti necessari per l'avviamento al lavoro, e favorisce gli incontri e i colloqui con le aziende che hanno necessità di personale.

Il Brasile, insomma, mi è apparso fin dall'inizio un paese ospitale. Merito di una serie di circostanze favorevoli o della mia capacità di adattamento? Un po' l'una e un po' l'altra, suppongo. Certo è che in queste situazioni bisogna mettere da parte i rimpianti e le nostalgie, per puntare diritto alla sostanza.

Entrai con relativa facilità nel mondo del lavoro, dopo vari contatti e vari test attitudinali. Lavorai presso la medesima azienda dal 1967 al 1974. Poi sentii il bisogno di cambiare aria, e passai come tecnico nell'azienda della metropolitana, ove rimasi per due anni. Passai quindi in varie altre aziende nella zona di San Paolo, finché nel 1987 mi trasferii a Recife, nella regione del Nordest. Nel 1991 ritornai a San Paolo. Un iter lavorativo abbastanza movimentato, ma rispondente al mio desiderio di fare sempre nuove esperienze. Nel campo dell'attività professionale, ma anche in quello dei rapporti umani. I due campi sono complementari e viverli entrambi, intensamente, costituisce un grande arricchimento della persona.

Attraverso questi rapporti ebbi la lieta ventura di incontrare Ednea, che sarebbe poi diventata mia moglie. Fu un amico che propiziò l'incontro; e il suo buon esito fu favorito dal fatto che lei aveva quattro nonni italiani: veneti quelli paterni, abruzzesi quelli materni. A voler cercare le coincidenze, nella vita del migrante se ne trovano tante, anche se non tutte sono di segno positivo.

Ho trascorso già ventisette anni in emigrazione e ho cominciato a fare qualche bilancio alle soglie dei cinquant'anni. Ho capito alcune cose di vitale importanza per me, per la mia persona. Ho capito, per esempio, che il mio principale obiettivo non era quello di una realizzazione esteriore: quella che si definisce qualificazione, affermazione. O addirittura successo. Era piuttosto quello di una realizzazione interiore, che mi fornisse motivazioni di valore sulle quali orientare la mia vita.

Ho capito poi che, oltre alla qualificazione personale, alla conquista della sicurezza economica, agli svaghi e al divertimento, bisogna puntare più in alto: cioè alla dimensione spirituale, che fa parte della nostra esistenza e del nostro essere nella stessa misura della dimensione pratica. Su questa via ho ritrovato valori antichi ma sempre nuovi, che mi inculcò mia madre dai primi anni dell'infanzia e che trascurai, quando lasciai la mia casa e vissi da solo l'esperienza migratoria.

Oggi questi valori, che si imperniano sostanzialmente sulla fede in Dio e sull'amore al prossimo, hanno assunto una evidenza nuova. Confrontati con le realtà vissute e conosciute finora, con le vicende di cui sono stato protagonista o testimone, mi hanno rivelato il loro peso determinante per il raggiungimento della piena consapevolezza e anche, se mi è permessa la parola assai grande, della vera felicità.

Non so se avrei vissuto un uguale processo, rimanendo in patria. Forse no. Ma emigrando, e misurandosi su dimensioni assai più complesse, l'individuo deve trascendere dai suoi dati personali, per conquistarsi altre conoscenze, per affrontare altre situazioni. Nelle relazioni umane, per esempio, ci si libera da inveterati pregiudizi: il contrasto fra Nord e Sud, per esempio, che lacera particolarmente l'Italia di questi tempi in maniera anacronistica; e poi la conflittualità fra bianchi e neri; o, più in generale, la diffidenza per i diversi.

In un grande paese di emigrazione qual è il Brasile ci si trova a contatto con tutte le razze: nera e bianca e gialla; e succede che all'inizio nascano insofferenze o rifiuti. Ma poi, se si procede in un cammino di reale maturazione, ci si accorge che la persona umana acquista un altro valore: preponderante sul colore della pelle, sulla differenza delle razze, sulla distanza delle culture. Ci si accorge, e ci si convince, che la persona umana e la sua dignità non sono condizionate da spazi geografici o da confini nazionali; e che sono ingiuste tutte le barriere, contro le quali si infrangono la volontà di incontrarsi e di dialogare.

Alla luce di queste esperienze, maturate in tanti paesi del mondo con sofferenze profonde ma anche con soddisfazioni vivissime, noi emigrati ci troviamo a disagio e restiamo mortificati, quando torniamo in Italia e troviamo nei nostri connazionali, nei nostri stessi concittadini, una inspiegabile freddezza. Che cosa è cambiato in quello che fu ed è anche il nostro paese? Dove sono andate a finire l'umanità, la cordialità, l'accoglienza dell'Italia di un tempo?

Sono domande dall'apparenza retorica, però sono utili a raccontare una storia interiore dell'emigrato, che si arricchisce di sempre nuovi episodi, specialmente nel rapporto con l'unica patria. Poiché si vive lontani, non si seguono passo passo i suoi mutamenti. Si leggono i giornali, nei quali si trovano notizie orribili di violenze e di corruzione, ma non si è mai totalmente persuasi. E si spera che, al ritorno, le persone smentiscano tante aberrazioni.

Per questo ogni ritorno è quasi avventuroso. Come troverò l'Italia? E magari in un angolo oscuro della mente nasce il pensiero che, se ci si trova in difficoltà, lo si è anche meritato; ma si caccia via subito questo pensiero, frutto di un ancestrale risentimento dell'emigrato nei confronti della madre-matrigna, che lo costrinse a partire e poi lo dimenticò. E quando si giunge a casa, con tutto questo fardello di sentimenti e di risentimenti, si trovano accoglienze fredde, distaccate, che ti fanno capire come, alle tante barriere già esistenti, se ne sia aggiunta anche un'altra: quella che divide chi parte da chi rimane.

Ritorno a Padova sempre volentieri: con profonde soddisfazioni ma anche con sottili inquietudini. E ogni volta mi chiedo se smetterò di tornare o se smetterò di partire. Poiché il cuore dell'emigrato è sempre diviso e batte nelle due direzioni. Ora batte più forte in una, ora batte più forte nell'altra. Non so quante lacerazioni comporti l'esperienza migratoria, però ritengo che una delle più forti sia l'insondabile frattura che rende estranei nella propria terra e familiari in quella altrui. Sono entrambe situazioni irregolari, che l'emigrato sconta con una riduzione di identità.

Ecco perché, fra mali apparenti e mali profondi, è necessario quel «guardare più in alto», di cui si è parlato prima. Abbiamo raccontato ciò che comporta, abbiamo indicato i vantaggi che offre. È l'antidoto ai mali, il vaccino che riduce i danni di una condizione, vissuta magari con involontaria spavalderia.

La fede in una patria superiore, la certezza che i confini sono effimeri, la fiducia che silenzi e lontananze siano solamente il frutto maligno del distacco... Il racconto è partito ostentando sicurezza, e si conclude rimpiangendo i mutamenti. Ma l'emigrato non vive di sicurezze e nemmeno di rimpianti. Vive soprattutto di autocoscienza: cioè della convinzione che la propria esperienza è sempre irripetibile; e che il suo cammino ha seguìto una direzione che conduce, o che può condurre, alla scoperta dei valori autentici della vita.

IL CIABATTINO
DI LYGON STREET

Nella vita non tutti scrivono libri. Eppure ci sono autori di vicende non scritte, che lasciano tracce profonde nella storia del loro piccolo mondo. Narrarne i fatti è come sfogliare le pagine di un libro inesistente, ma vissuto. Anche se non sono illustri, queste umili figure sono importanti per i familiari e gli amici.

Arturo Fraccaro detto Gnola, ciabattino residente a Melbourne, è uno di questi «autori». È un essere umano semplice, grande di cuore, lavoratore senza ore, mai stanco. Eppure è un omino con un viso sorridente e due baffi allegri che sembrano un bilancino. Ma le mani... Le ha larghe come spatole, dure, peciose, velate di tinta nera e gialla. Chissà quanti chilometri di spago e pece greca avranno sfilato e tirato per cucire le suole. Povere mani, ma quanto preziose. Anche Gesù le avrà avute così, stando a quanto scrisse Papini nella *Storia di Cristo*: «Le sue mani benedissero i semplici... e furono bagnate dal sudore del lavoro, mani che sentirono l'indolenzimento del lavoro, mani che acquistarono i calli del lavoro, mani che avevano maneggiato gli arnesi del lavoro, che avevan conficcato chiodi nel legno: mani del mestiere».

Le prime pagine «non scritte» di Arturo rivelano che proviene dalle montagne di Asiago e che dopo cinque anni di scuola elementare, faticosi e duri come gli anni della fame, fu mandato a raccogliere legna nei boschi sotto le stanghe di un carrettino a due ruote. Portava con sé una borraccia d'acqua, fichi, due pagnotte o poche fette di polenta, per «rinfrescarsi e tenersi su» gli diceva la mamma.

Lavorò presso una fabbrica di articoli domestici in legno, per qualche anno. Ma era tanta la polvere da «mangiare», che i fichi e la polenta erano quasi inutili. La segatura di faggio e abete lo sbiancava come una maschera a carnevale. In quel tempo affinò la pazienza e si abituò alle fatiche. Le ricompense erano scarse e non si prevedeva un futuro entro l'orizzonte di quell'altopiano glorioso di luce, ma ricco di pioggia e di neve e pochissimo di benessere. Era tempo di voltare un'altra pagina del suo libro fantasma.

L'Australia, appena dopo la seconda guerra mondiale, era come la cometa di Halley: bella come una fanciulla con la chioma al vento, ma sconosciuta. L'ignoto che mosse i navigatori alla scoperta di nuove terre, poteva attrarre anche i migranti con molti sogni e oppressi dal bisogno di guadagnare per le famiglie. Melbourne, per la gente che vi sbarcava carica di valige e sacchi, rappresentava il sole che asciugava le lacrime, ma faceva anche germogliare le distese immense di grano e maturare i frutti degli alberi lungo le vie. L'abbondanza era ovunque.

Per Gnola, Lygon Street ripeteva in scala maggiore il Corso IV Novembre del suo paese. Alcuni dialetti delle nostre regioni gli sembravano strani, altri incomprensibili; ma le insegne dei negozi erano italiane e anche gli avvisi delle associazioni o club gli suonavano familiari. Aveva notato che le scarpe australiane erano di buon cuoio, ma punto eleganti. E nessuno le riparava. Conosceva un po' l'arte dello scarparo, così decise di avviarne il *business*.

Scelse un bugigattolo sotto un portico di Lygon Street: due stanzette cadenti. In un locale vendeva scarpe prese a credito, nell'altro le riparava su un deschetto pieno di utensili, patine, colle, ciabatte e giornali, che ogni giorno cresceva in altezza come un formicaio del Northern Territory. Era la tana di uno gnomo scarparo. Le suole sulle scansie mostravano buchi, che parevano provocati da scoppi di petardo e odoravano di un lezzo pungente. Al centro del soffitto una lampada del tempo di Edison rischiarava il locale e insieme le due sedie vischiose di colla, riservate ai clienti e agli amici che andavano a fare quattro chiacchiere sull'Italia, la musica, il calcio, i roccoli.

Con le cianfrusaglie, teneva alcune coppie di canarini, merli, quaglie. Nei giorni radiosi di sole esponeva i canarini alla luce di una finestra, e poi sul vecchio giradischi faceva volare l'aria di un valzer. L'allegria della luce e dei suoni induceva i volatili a gorgheggiare all'unisono con la musica e a piroettare nella gabbia come trapezisti pieni di brio. Spesso anche i merli e le quaglie prendevano parte al coro, e così la bottega diventava un richiamo per i passanti.

Gnola si era fatto bravo. Perfino i poliziotti del vicino Russell Street sciamavano da lui con sacchi di scarpe rotte. Lo consideravano il calzolaio del corpo: mai preso una multa. Lavorava a buon mercato e ai clienti di qualsiasi nazionalità si rivolgeva in dialetto veneto. Sembrava che lo capissero. Gli amici del suo *entourage* si divertivano a sentirlo discutere con le signore, affettando la voce, di «frenesia del sandalo» chiuso nel «didietro» fino al «collo», con «strisce davanti», «dritto e lungo nel tacco come nel '50», che dà alla gamba comodità ed eleganza. La sua parlata qualche volta inciampava, ma era allegra e colorita. Solo le signore snob lo inquietavano. Lo guardavano dall'alto in basso come se fosse un nano, e gli chiedevano con sussiego: «Ha delle scarpe italiane... adatte per me?». Poi si rivolgevano all'amica: «Quale tipo mi consiglieresti tu? Se le prendo rosse, non mi stanno bene sulle calze grigie...».

«Perché non le prendi grigie, allora?».

«Sì, le grigie sarebbero più adatte».

Arturo ascoltava, guardava e taceva.

«Scarpe e calze grigie, che monotonia».

«E tu prendile rosse, allora, rosso bordeaux. Però accompagnate da calze chiare, gonna verde e maglioncino rosso vivo. Ma il maglioncino rosso non sta bene al viso».

«Ti pare?».

«Il rosso stordisce... No, tutto sommato le comprerei grigie. I colori del maglioncino e della gonna li sceglierei dopo».

«Ne ha di grigie, Arthur? Ma l'ultimo grido della moda italiana, mi raccomando».

Un po' complicato per Arthur. Non intuendo il desiderio della signora e sforzandosi a non toccare i baffi, tirava giù da una scansia tutte le scatole che gli arrivavano a tiro. Dopo averle aperte chiedeva: «Good?».

«No, no quel tipo, Arthur, *darling*. Aspetti un momento: mi lasci dare un'altra occhiata alle scarpe rosse, quelle là. Vedi, Ross, ho pensato che la pelliccia di cincillà sta benissimo sul rosso delle scarpe».

«Sceglile rosse, dunque. Perché no?».

«Perché c'è già quel benedetto cappello che col rosso non va».

«E non hai altro da metterti?».

«Ma nulla di nulla, *darling*».

«Gesù, quante preoccupazioni. E il tempo che si perde in questi negozi. Come avrà fatto l'Imelda Marcos, la presidentessa delle Filippine, a sceglierne e a collezionarne tremila paia? Ci si fa il capo come un cestone. È d'accordo anche lei, Arthur? Lei mi pare sempre calmo e sorridente, quasi felice».

Uscendo senza niente in mano, Arthur udiva la signora dire: «È insopportabile che nei negozi non si abbia mai tempo per riflettere. Che disdetta questa Lygon Street».

Le pagine recenti del «libro» di Arturo sono simili a certi schizzi in bianco e nero, tristi ma anche vividi e veri. Il portico sta per essere rifatto e il palazzo è sotto cura da parte di architetti e muratori. Gnola ha dovuto chiudere il *business* e riaprire a casa sua, in Carlton, un locale di riparazioni solo per amici. È in pensione e il suo futuro sarà, come per tutti i suoi coetanei di sessantanove anni, senza grande storia.

«I palazzi – si rammarica – ringiovaniscono e si fanno più belli. Anzi, più vecchi sono, più valgono e piacciono. Io stesso ho ridato a molte scarpe vecchie anni preziosi di vita in più. A noi, invece, ricchi o poveri non importa, nessun regalo di tempo e di bellezza ci è dato». Caro Arturo, il libro della vita, anche se volge all'epilogo, si trascinerà ancora per molti anni attivi. A proposito, ho alcune scarpe che «sbadigliano». Anche se vecchie, mi sono comode. Le ripari?

HO IMPARATO DALLA VITA CHE È NECESSARIO CREDERE

Qualche volta fa piacere poter parlare di sé. Specialmente se si pensa di avere vissuto con impegno la propria esistenza e di averci messo una grande passione. La passione di vivere. Il mio nome è Ugo Vaona e sono nato nel 1944 a Erbezzo di Valpantena, in provincia di Verona. Mio padre, Giacomo, fu costretto a emigrare in Francia nell'immediato secondo dopoguerra, perché in Italia non sarebbe stato in grado di mantenere la sua famiglia: mia madre, io e mia sorella di diciotto mesi più grande di me. Mio padre aveva fatto la guerra in Abissinia, quella che avrebbe dovuto dare un impero all'Italia; e aveva preso la patente per la guida dei camion. Oltre a una serie di malattie, per le quali soffrì tutta la vita. Si comperò un camion e tentò di fare l'autotrasportatore; ma le cose non andarono bene e allora decise di emigrare.

Arrivò in Francia nel 1948, per rendersi conto della situazione. A quel tempo, prima di lavorare nell'industria o nelle miniere, era necessario lavorare nei campi. Fu giocoforza adattarsi alle disposizioni, e così finimmo tutti quanti in una zona agricola al centro della Francia, nei pressi di Valence d'Isère. Lavoravamo tutti. Io e mia sorella, che avevamo rispettivamente quattro e quasi sei anni, dovevamo badare alle galline. Anche per lavori così modesti gli italiani erano costretti a emigrare... Dopo qualche tempo, uno zio di mio padre, Anselmo Bombieri, ci invitò a trasferirci presso di lui. Abitava nella Mosella, dove c'erano molte miniere e grandi industrie siderurgiche. La cosa ci rallegrò moltissimo, perché la vita in campagna ci piaceva poco. Ci trasferimmo qualche mese dopo, all'inizio del 1950.

Gli anni passarono e giunse il momento di andare a scuola. Non fu una cosa agevole né piacevole. I miei compagni mi insultavano in continuazione: «Brutto maccheroni», «Brutto spaghetti», «Brutto Italia». Stavo molto male e mi chiedevo perché fossero così cattivi con noi, che in fondo volevamo solo lavorare e vivere in pace. A un certo punto, però, è scattata in me la molla dell'orgoglio. Vi faccio vedere io che cosa sono capaci di fare gli «spaghetti», mi dissi. E cominciai a studiare con tanta passione, che in breve tempo diventai il primo della classe. Quello fu il modo con cui mi guadagnai il rispetto.

Nel 1955 nacque una bambina, Annamaria; e qualche anno dopo il quarto figlio: Sergio. La famiglia cresceva e mio padre doveva lavorare sempre di più, anche se era malato. E anzi, alle vecchie malattie dell'Africa, aveva aggiunto la silicosi che si prese in miniera. Ero piccolo, ma mi faceva pena. Capivo le sue preoccupazioni e le costanti angustie in cui trascorreva i suoi giorni. Aveva persino le vecchie rate del camion da pagare... Una emigrazione difficile. Per lui in modo particolare, ma sicuramente anche per tutta la sua generazione.

Cominciai a lavorare in miniera, quando avevo quattordici anni; ma contemporaneamente frequentavo anche un istituto tecnico professionale a Fameck, nel quale mi feci onore. Ma ormai avevo fatto il callo all'ostilità dei miei compagni; e più che a loro avevo sempre qualche cosa da dimostrare a me stesso. Per poter studiare, dovetti farmi francese, unico della famiglia. Però sulle prime la cosa si presentò difficile. Fortunatamente conobbi un uomo politico, che mi diede una mano e così, in breve tempo, raggiunsi il mio scopo. Allora feci anche il servizio militare, ma quasi contemporaneamente ricevetti la chiamata da parte dell'Italia e, non essendomi presentato, fui considerato disertore.

Quando ottenni il congedo, tornai in miniera. Di giorno lavoravo, di sera studiavo all'istituto minerario. Ho fatto innumerevoli corsi di specializzazione, ho partecipato a *stages* e a seminari; e quando ottenni il diploma di licenza, ero il più giovane perito minerario di Francia. A ventiquattro anni dirigevo una squadra di settanta uomini. Fra di loro c'era anche mio padre. Lavorai nella miniera di Hayange fino alla chiusura, che avvenne nel febbraio del 1988. Lo stesso anno e lo stesso mese in cui morì mio padre. Inoltre, poiché le disgrazie non sono mai sole, anche mia moglie era ammalata. Una malattia inguaribile, che l'avrebbe condotta alla tomba all'inizio del 1989.

A raccontare tutto questo si ha l'impressione che il lettore si domandi: non sono sempre le solite cose, che riempiono in bene o in male i giorni di tutti gli uomini? Convengo senz'altro. Però una differenza c'è. E di notevole importanza. Vivere il bene e il male nella propria terra, è una cosa. Vivere entrambi in una terra estranea è tutt'altra cosa, poiché tutto diventa più difficile e, quanto più passa il tempo, sempre meno familiare. Non ci si abitua mai, insomma. Dopo la chiusura di Hayange, fui trasferito con tutti gli altri alla miniera di Moyeuvre. Mio figlio, allora, aveva tredici anni; e mia moglie era ancora viva. Ma le disgrazie sono come una catena. All'inizio del 1990 mi recai a Nizza con alcuni amici per qualche giorno di vacanza. A un certo punto, cedendo alle insistenze di uno di loro, gli cedetti la guida. Non l'avessi mai fatto: dopo qualche chilometro capitò un grave incidente. Io rimasi in ospedale per un bel po'. E avrei dovuto rimanerci di più, se a un certo punto non avessi puntato i piedi. Gli altri si ebbero purtroppo la loro parte.

Comunque non tornai più al lavoro e nel mese di giugno del 1990 diventai pensionato. Allora cominciò per me una nuova vita: mi dedicai all'associazionismo e allo sport. Mi servì a riempire il tempo, a dare alle mie giornate un interesse, che in precedenza il lavoro aveva assorbito interamente. Veramente lo sport, e in particolare la corsa, avevano rappresentato una valvola di sfogo fisico e morale in tutti i periodi della mia vita. Particolarmente in quelli duri.

La notte in cui morì mia moglie, andai a correre per le vie della città fino all'alba. Ero disperato. Correvo e piangevo, ma mi pareva di sopportare meglio il dolore. Quando ebbi l'incidente, temevo che tutto fosse finito e che non avrei più potuto correre. Lavorai duro, con il fisioterapista e da solo: e alla fine uscii dal tunnel dell'immobilità e della paura. Ripresi a camminare, poi cominciai a fare i primi passi di corsa; e infine, dopo tanta fatica, ripresi a correre. Ce l'avevo fatta. Ho partecipato anche due volte alla maratona di New York.

Mi piace stare da solo, e magari correre nella notte. Però mi piace anche stare con gli altri. Per questo mi sono dedicato all'associazionismo. Ho cominciato con «Juventus Club», del quale sono l'ideatore e il fondatore. Tutto è nato con il passaggio dal Nancy-Saint Etienne alla Juventus del giocatore Michel Platini, che è figlio di italiani. Allora si capisce che c'è sempre un punto di riferimento: una costante che regola la vita dell'emigrato. La squadra di calcio italiana, il grande giocatore figlio di italiani, l'occasione per andare in Italia a vedere le partite di calcio... Abbiamo organizzato diversi viaggi a Torino: per vedere Platini, per vedere la Juventus, per rivedere l'Italia. Una seconda associazione è l'Union sportive tournebride di Hayange: l'Usth. Vi sono iscritte settecento persone, che praticano vari sport e soprattutto hanno occasione di stare insieme. Ecco un altro riferimento, specialmente quando gli anni passano e ci si sente lontani. Stare insieme, e lavorare insieme, e fare le cose insieme.

Ho realizzato nel maggio di quest'anno un progetto, che ha unito la passione sportiva, il senso della solidarietà e la partecipazione al dramma della Bosnia, martoriata da una guerra che dura da troppo tempo. Una maratona con partenza da Hayange e arrivo in Croazia. Motivazione ideale dell'iniziativa è una testimonianza di solidarietà al martirio di Sarajevo, per la quale è stata allestita una spedizione di viveri. Abbiamo scritto a varie personalità politiche, che hanno dichiarato la loro adesione. Io ho imparato dalla vita che è necessario credere sempre in qualche cosa. Senza fede, senza speranza non si è nessuno. Sono convinto che lassù c'è qualcuno che ci aiuta, altrimenti non riusciremmo a spiegarci come sia possibile superare tanti momenti difficili della nostra vita. Ritengo che per tutti, anche per i meno fortunati, la vita valga di essere vissuta. Nel caso nostro di emigrati, c'è qualche cosa di particolare da dire. C'è chi pensa che siamo senza patria: divisi fra una che ci ha costretto ad andarcene e un'altra che non ci ha mai accolto veramente. Ebbene, io dico invece che di patrie ne abbiamo due. L'una e l'altra. E che entrambe ci hanno dato qualche cosa.

E così la nostra memoria si arricchisce di una duplice storia, che può essere dolorosa ma rimane tuttavia imprescindibile dalla nostra esperienza esistenziale. Cioè da quello che siamo.

LA VERA STORIA
DELLA SPINELLI KNITTING

«Oltre quarant'anni di emigrazione... Se tornassi indietro, rifarei tutto da capo», afferma perentorio Sante Spinelli, cesenate, sbarcato a Melbourne nel 1952, quand'era prossimo a compiere ventiquattro anni di età. È presente al colloquio la moglie Elena Benvenuti, cesenate pure lei, che interviene per dichiarare i motivi profondi del loro coraggio e della loro tenacia: «Ci ha sorretti entrambi la fede e la volontà di affermarci in una terra straniera, della quale non conoscevamo nemmeno la lingua».

Sante iniziò a lavorare appena quindicenne, come apprendista elettricista. I tempi allora erano duri, la guerra era già arrivata in Italia con le truppe angloamericane e c'era penuria di tutto. Ma i progressi del giovane sono rapidi e la sua volontà ben collaudata. Quando il fronte giunge alle rive del Po e la Romagna è liberata dal lungo incubo, Sante lavora anche per il comando alleato. Alla fine della guerra ha accumulato una notevole capacità professionale ed è ritenuto elettricista provetto. È prossimo al traguardo dei diciassette anni.

«Avevo sentito dire dai soldati, che l'Australia era

241

un paese di grandi possibilità – racconta. – Un paese ospitale, dove uno che conoscesse il mestiere e avesse volontà di lavorare poteva fare strada». Ma oltre alle prospettive economiche c'erano anche le attrattive naturali. Sante si trova spesso a sognare le grandi solitudini e le coste incontaminate di un continente ancora vergine. Ben diverso dall'Italia ancora alle prese con il gravoso impegno di ricostruire quanto cinque anni di guerra avevano distrutto.

«Non resistetti a lungo. Nel 1952 mi imbarcai sulla motonave *Florenzia* e attraversai l'oceano: quarantacinque giorni di navigazione, trascorsi in fasi alterne di trepidazione e di speranza».

Sbarcato in terra australiana, segue un percorso quasi obbligato, che passa attraverso il campo di Bonegilla, nel New South Wales. Un impatto poco incoraggiante, con quella che era stata per anni la terra dei sogni. Nei tre mesi di seminternamento si adatta a ogni specie di lavoro, pur di non rimanere inattivo. «Quando finalmente giunse l'ora di muovermi, fui inviato ad Adelaide, presso una fabbrica di batterie. In attesa che si liberasse il posto di elettricista, fui occupato in lavori generici e saltuari».

Passarono otto mesi in una attesa vana. Sante si stanca e cerca allora un altro lavoro. Trova quello rispondente alle sue capacità: elettricista presso una importante compagnia. Mette in funzione grandi impianti e rimane assente lunghi periodi da Adelaide, poiché viene mandato a perfezionare le installazioni nelle miniere, di cui il paese è assai ricco. «Ma nel 1956, quando ormai mi stavo facendo una buona posizione, sento la nostalgia della mia terra, dei miei cari. Ritorno in Romagna e conosco Elena Benvenuti, con la quale mi fidanzo quasi subito. Il 22 aprile del '57 la sposo».

Questo matrimonio, oltre a coronare un amore, è l'inizio di un nuovo cammino professionale: di una affermazione, che coronerà negli anni successivi l'intraprendenza della coppia. Elena cominciò il lavoro di magliaia appena finite le scuole. Quando conobbe Sante, aveva già una attività propria e alcuni dipendenti. Una ragazza che non si spaventava di fronte alle difficoltà. Perciò, quando Sante dovette ripartire per la scadenza del visto, lei attese da sola alla liquidazione della sua azienda e al disbrigo delle pratiche per l'emigrazione.

«Tutto procedeva regolarmente ma con una certa calma, – racconta Elena – quando ricevo la notizia che mio marito ha avuto un grave incidente sul lavoro. Non so dirle l'angoscia... Quando lo vidi al mio sbarco a Melbourne, tutto fasciato ma in piedi, capii però che il peggio era passato e trassi un respiro di sollievo».

E invece il calvario avrebbe avuto un corso assai più lungo. Sante doveva essere sottoposto a una serie di operazioni di plastica, che avrebbero restituito un aspetto normale alle parti del volto e del corpo gravemente ustionate. Fu costretto a una lunga degenza: ben diciotto mesi all'ospedale di Melbourne, durante i quali Elena, per provvedere ai bisogni della famiglia e alle cure del marito, riprese la sua attività di magliaia, lavorando per alcuni commercianti locali. «Un'esperienza durissima, – sottolinea Sante – che servì a cementare la nostra unione, ma schiuse nuovi orizzonti al nostro futuro».

Nel 1960 il calvario è finalmente concluso. Sante ha quasi prodigiosamente riassunto il suo aspetto normale. È tempo di ritornare ad Adelaide, per riprendere il posto in azienda. Elena protesta un po', perché a Melbourne si era fatta una clientela e aveva trovato

243

molte amiche. Per lo più romagnole puro sangue, come lei. Comunque, non ha difficoltà a riprendere in Adelaide la sua attività. Anzi, nel giro di pochi mesi si impone con i suoi magnifici capi *Italian style* e li piazza con grande facilità in tutte le migliori boutique cittadine.

Le richieste crescono costantemente. Elena assume due operaie e prende in affitto un locale adatto per il nuovo laboratorio. Poi, un po' alla volta, cresce il numero dei dipendenti e vengono acquistate nuove macchine. «Sacrifici forti, – interviene Sante – quasi indescrivibili. Far nascere e sviluppare una azienda, senza capitali e in terra straniera, è impresa difficile. Le scadenze del macchinario, le paghe degli operai, il pagamento delle tasse sono impegni cui bisogna far fronte puntualmente. Pena, la perdita di credibilità».

La crescente richiesta degli ormai rinomati capi «Spinelli» induce i protagonisti di questa bella storia a creare una vera e propria fabbrica, che accrebbero negli anni successivi fino alle attuali imponenti dimensioni. Un successo economico di prim'ordine, pagato con tanti sacrifici ma premiato con grandi risultati.

Elena fece venire in Australia la madre, rimasta vedova, e la sorella Pierina, magliaia anche lei e per di più dotata di una notevole creatività nel disegnare i modelli. Con lei giunse anche il fidanzato, valente tagliatore, con il quale si sposerà qualche mese dopo. Una saga familiare, nella quale entrano anche i figli: tre per la coppia Elena-Sante e altrettanti per la coppia Pierina-Mario. E questi figli, come sono cresciuti: sono consapevoli dei sacrifici e della storia dei loro genitori? «Io sono italiano – risponde Sante. – Nel profondo del mio cuore. Basti pensare che sono qui da quarant'anni e non ho mai rinunciato alla cittadinanza. Ai figli ho trasmesso la mia fedeltà. Anche se, nati in Australia, hanno mentalità e cultura spiccatamente australiane».

Rincalza Elena: «I miei ragazzi parlano tutti italiano. Anzi, in casa abbiamo eliminato la lingua inglese. Ne abbiamo discusso democraticamente e da parte loro c'è stata una accettazione incondizionata». Una fedeltà alle origini condivisa dalla coppia, indice di un accordo profondo, che sostenne l'unione nei difficili inizi e la sostiene tuttora nel conquistato successo. I loro frequenti ritorni a Cesena, la casa per la vecchiaia costruita sotto la Basilica del Monte, il passaporto italiano sono testimonianza di una eredità coltivata senza cedimenti.

La «Spinelli Knitting» giunse a occupare un centinaio di dipendenti. Oggi sono quasi la metà: non per riduzione di lavoro, ma per l'alto livello di automatizzazione raggiunto dall'azienda. La produzione è cresciuta senza sosta e raggiunge l'intero mercato nazionale e alcuni punti chiave di quello internazionale. È cresciuta in quantità e in qualità, poiché oggi essa comprende anche capi di alta moda femminile, che suscitano vivo interesse presso la clientela e presso la stampa specializzata.

Una storia significativa per tutta l'emigrazione italiana. Storia di una coppia, che ha saputo realizzare interamente le proprie possibilità nel campo del lavoro e degli affetti domestici. Ma senza trascurare i doveri nei confronti della comunità. Elena e Sante partecipano attivamente alle iniziative benefiche e umanitarie, confermando il loro temperamento generoso, aperto alla domanda di chi è colpito dalla sfortuna o dalla disgrazia.

«In Australia la nostra famiglia, come la grande parte delle famiglie italiane, è stata apprezzata per la sua unione – conclude Elena. – I nostri figli, per

esempio, non hanno fatto come i loro coetanei australiani che, a sedici anni, vogliono vivere da soli. Sono
rimasti in casa con i loro genitori; e sono diventati
adulti senza strappi dalla famiglia. Ritengo che questo, più che un merito dei genitori, sia un merito della
tradizione culturale e morale, che i genitori hanno
ereditato dai loro padri».

SCOPRIRE ALL'ESTERO
NUOVI ORIZZONTI

Salvatore Buccheri è presidente dell'Unione siciliani emigrati nel Südhessen (Uses), con sede a Gross Gerau, Germania, federata con il Segretariato regionale dell'emigrazione siciliana (Seres), che ha sede a Palermo e riunisce associazioni di siciliani residenti nei cinque continenti. È nato a Sortino, in provincia di Siracusa, di cui conserva indimenticabile ricordo.

Nel 1964, all'età di ventotto anni, decise di emigrare poiché la sua terra non gli offriva alcun futuro. La Sicilia ha avuto, e purtroppo ha ancora, un pesante destino. Mancava il lavoro allora, ricorda amaramente Salvatore; ma manca anche oggi. Nulla è cambiato. Emigrare fu quindi una necessità. Una assai dura necessità. «Non è stato facile il mio inserimento nel mondo del lavoro, anche se il lavoro c'era. Quante umiliazioni, quante ingiustizie. Le ho subite e sopportate io, come le hanno subite e sopportate tutti gli altri emigrati. È un pedaggio inevitabile. Ma la volontà di sopravvivere e di affermarci fu più forte di tutto, e così siamo riusciti a restare».

Insieme con la solitudine e con la lontananza, l'umiliazione è la terza compagna dell'esperienza migratoria. L'abbiamo incontrata tante volte nelle storie che ascoltiamo, anche se c'è un certo riserbo e molti preferiscono non parlarne. Però parlarne è bene, poiché ci offre importante insegnamento sul dovere di comprendere la realtà del migrante e di alleviarla, per quanto possibile, quando cerca ospitalità nei nostri paesi ricchi, sfuggendo la fame e spesso la persecuzione della sua terra.

Buccheri approdò dalla Sicilia a Riedstadt, nella provincia di Gross Gerau. Allora era un paese di qualche migliaio di abitanti, oggi è diventato una cittadina. «Non fu facile entrare nella mentalità tedesca, nella quale le cose sono organizzate in maniera rigorosa, e non c'è spazio per le improvvisazioni e tanto meno per le furberie. Però, debbo riconoscerlo, non c'è spazio nemmeno per i privilegi. Non c'è una legge per noi e una legge per loro. E non veniva imposto a noi emigrati nulla di diverso, da quanto veniva imposto ai cittadini tedeschi».

Questo per Salvatore è un fatto di particolare importanza. «Una scelta di qualità per noi emigrati siciliani, abituati nella nostra terra a un ben diverso regime. La nostra personalità è stata valorizzata al pari di quella di tutti gli altri; e invece, quando torniamo in Sicilia, troviamo sempre le solite differenze. Oggi, però, è molto più difficile accettare».

Si tratta di un concetto particolarmente importante, tanto più che in genere i giudizi dei nostri emigrati sulla Germania sono piuttosto critici. Il nostro interlocutore lo precisa ulteriormente. «Nei primi sei mesi ho vissuto una condizione quasi traumatica. C'erano tante cose che non riuscivo a capire, e alle quali non ero capace di adattarmi. Erano infatti diametralmente opposte rispetto a quelle di casa nostra. Ma dopo, un po' alla volta e a mano a mano che avanzavo nella conoscenza della lingua, mi sono reso conto che il sistema poteva andarmi bene. Faccio un esempio, che per me è molto significativo: quando si va in un ufficio per chiedere una cosa o inoltrare una domanda, ti dicono subito se la domanda è legittima, se è stata formulata bene, ciò che si deve fare per il suo migliore accoglimento. Indicano addirittura e spiegano gli articoli di legge, che avvalorano le loro affermazioni. In Sicilia questo non mi era mai capitato. Anzi, non mi erano mai stati citati a mio uso e consumo articoli di legge o della costituzione».

In Germania, perciò, Salvatore si rese conto dell'importanza di una costituzione, che sancisca i diritti e i doveri dei cittadini: di tutti i cittadini, nei confronti dello stato. Pensò che una costituzione doveva esserci anche in Italia. Ma non ne ha mai visto i benefici. Il suo linguaggio è chiaramente critico. E ironico. Esprime la delusione profonda per le condizioni della sua isola, sulla quale circolano immagini generalizzate di violenza e di ingiustizie. «In Germania vediamo film di mafia, leggiamo nei giornali che la mafia ha dichiarato guerra all'Italia e semina le bombe nelle città... Come possiamo sentirci, noi siciliani, all'estero? Abbiamo dovuto partire perché eravamo poveri; oggi, grazie a Dio, le cose sono cambiate, ma non possiamo certo dirci ricchi. E allora, che cosa dobbiamo pensare, quando sentiamo parlare di cifre sbalorditive accumulate con traffici criminali? Soltanto alla grande ingiustizia che c'è nella nostra isola, della quale ci rendiamo conto quando andiamo all'estero e vediamo le cose da lontano».

Al tempo del suo arrivo in Germania, non esisteva ancora la Missione cattolica italiana di Gross Gerau. Gli emigrati, perciò, erano veramente in balia di se stessi. Nel 1976 giunse padre Tobia Bassanelli, dehoniano, che cominciò la sua opera presentandosi nelle case dei connazionali residenti nella zona. «Noi, allora, avevamo costituito il "Circolo di Sicilia", con funzioni ricreative. Un primo tentativo di riunirci, quindi, ma con effetti assai modesti. Padre Tobia, invece, puntava a esiti ben più importanti. Voleva farci conoscere i nostri diritti, e anche i nostri doveri, sia nei confronti dell'Italia sia nei confronti della Germania. Voleva valorizzare le nostre persone e la nostra presenza nella comunità locale. Voleva che acquistassimo coscienza di noi stessi, uscendo da una ingiusta sottovalutazione della nostra condizione di migranti. E così è nata l'"Associazione italiani"».

E Salvatore sottolinea che l'associazione ebbe subito carattere nazionale, «perché all'estero non ci sono difficoltà e ritrovarsi tutti insieme». Fu così che tutti insieme assunsero la prima iniziativa: inoltrarono domanda all'autorità competente, perché fosse istituito un doposcuola per i loro bambini. Il comune di Riedstadt rispose affermativamente. «Per noi fu una vittoria. Abituati a sentirci dire "no" o "ni", ricevere quel "sì" esplicito ci procurò grande soddisfazione».

Il nostro interlocutore è soddisfatto anche della sua crescita personale e professionale. Cominciò facendo l'intonachista; poi ottenne la licenza di scuola media; quindi frequentò un corso di impiantistica elettrica e un altro di specializzazione elettrotecnica. È andato sempre avanti, migliorando le sue prospettive in campo professionale. Attualmente lavora in un istituto parastatale per la costruzione di case popolari, con funzioni responsabili nel suo settore.

Ma Salvatore vuole sottolineare due lezioni, apprese dalla sua esperienza migratoria: la prima è la crescita e l'assunzione dell'autocoscienza; la seconda è la possibilità di dialogare con le istituzioni e di ottenerne risposte concrete. «Non riesco a capire, invece, come mai in Italia, paese altrettanto civile della Germania, le cose vadano in tutt'altro modo. Le istituzioni, che dovrebbero essere al servizio dei cittadini, usano trincerarsi dietro un linguaggio burocratico e incomprensibile, eludendo il dovere della chiarezza e della competenza informativa».

Di fronte alle inadempienze dello stato, Salvatore riafferma la possibilità e il diritto del cittadino a far valere le sue ragioni. «Ebbi in passato la necessità di aggiornare la mia posizione contributiva. Scrissi quindi in Sicilia, ma non ricevetti alcuna risposta. Mi rivolsi allora a padre Tobia, divenuto nel frattempo direttore del "Corriere d'Italia" a Francoforte, il quale mi invitò a denunciare il fatto sul giornale. Nessun movimento ancora. Allora scrissi al presidente della Repubblica, a tutti i ministri competenti nonché agli assessorati della regione Sicilia. Questa volta la risposta arriva: dalla presidenza della Repubblica, che assicura il suo interessamento. E a ruota seguono tutte le altre. In qualche settimana il mio caso era risolto. Però, quando uno stato non è in grado di rispondere entro tempi leciti alle lettere dei suoi cittadini...».

Il nostro interlocutore rifiuta energicamente il disordine, che affligge la nostra burocrazia. Però ha sperimentato pure che, ove il cittadino sia conscio del proprio diritto, può smuovere anche le montagne della trascuratezza e dell'indifferenza. Diritti e doveri: Salvatore sa che esistono entrambi, per ciascuno di noi. E come possiamo o dobbiamo protestare di fronte al sopruso; così dobbiamo partecipare alla realtà sociale in cui viviamo. Di qui l'impegno, suo e di altri connazionali, a collaborare con la Missione cattolica italiana di Gross Gerau. I bambini, i giovani e gli anziani sono oggetto di attenzioni particolari: per i primi si organizzano ore di giochi e di animazione; per i secondi, purtroppo, mancano i corsi professionali, ma si creano occasioni di dibattito e seminari di studio; per gli anziani si studiano le iniziative, che possano far intendere la partecipazione della comunità.

«La comunità italiana di Gross Gerau è all'avanguardia per la collaborazione con il proprio missionario – conclude Salvatore Buccheri. – Ci sentiamo italiani e ci sentiamo cristiani. E vogliamo conservare e promuovere i valori, che stanno alla base della nostra cultura e delle nostre tradizioni».

DAL CAMPO DI BONEGILLA
AL SENATO DELLO STATO

All'angolo delle congestionate arterie cittadine di North Terrace e King William Street sorge il palazzo del parlamento. Un'imponente opera di marmo nero, che ospita sia la camera «bassa» sia quella «alta». Non si ricordano tempi tanto floridi da permettere spese senza freno. Se si consultano gli archivi statali, si scopre infatti che il palazzo rimase per tre quarti incompleto dal 1889 al 1939; e poté essere portato a termine soltanto grazie al lascito di un mecenate cittadino, che elargì la somma di 100 mila sterline. Una cifra da capogiro per quei tempi.

Ogni emigrato, che giunge ad Adelaide, si vede di fronte questo imponente palazzo, non appena scende dal treno proveniente da Melbourne. Così fu anche per Mario Feleppa sicuramente ignaro al suo primo arrivo che il destino gli avrebbe riservato un grande privilegio: quello di essere il primo italiano a varcare le soglie del parlamento statale. «Sono nato a Benevento nel luglio 1930 – esordisce quando lo incontriamo – e provengo da una famiglia numerosa: sette figli. Una famiglia di modeste risorse, ma di onesti lavoratori. Mio padre gestiva un negozio, quasi un ristorante. Durante la guerra ci ritirammo in campagna, in una piccola proprietà, e vi rimanemmo per una decina d'anni. Quando finalmente ritornammo in città, ognuno di noi cominciò a prendere una propria strada. Due dei miei fratelli frequentarono l'università, gli altri due il liceo classico e scientifico. Io scelsi la via del lavoro».

Dopo aver frequentato l'Istituto tecnico commerciale, nel 1947 Mario fu assunto dall'Aeronautica Sannita, una grande azienda dove venivano fabbricati i famosi caccia Macchi. In quello stabilimento completò il suo apprendistato. Nel 1955 fu indetto un concorso presso l'Istituto tecnico industriale di Benevento, allo scopo di offrire una specializzazione per chi volesse emigrare. La cosa gli andò bene poiché, su quattrocento candidati provenienti da ogni parte d'Italia, risultò il primo.

«Non fu certo facile per me frequentare quel corso – continua il racconto. – Svolgevo mansioni di operaio specializzato nello stabilimento e il corso aveva la durata di sei mesi, con presenza giornaliera di otto ore. Ebbi quindi non poche difficoltà per essere presente. Riuscii però, persuadendo sia il direttore dello stabilimento sia il capo dell'istituto, a frequentare il corso soltanto quattro ore al giorno». Alla sua conclusione, assai soddisfacente, Mario pensò di emigrare e la scelta cadde sull'Australia. Si imbarcò sulla *Fairsea* nel febbraio 1956 e giunse a Melbourne ai primi di marzo. Quale vincitore del concorso, gli era stato promesso un lavoro come attrezzista presso una importante ditta locale.

«Non posso descrivere la delusione al momento dello sbarco. Assieme a molti altri venni stipato su un treno, somigliante alle tradotte dei tempi bellici, e inviato al centro smistamento emigrati di Bonegilla. A quell'epoca, oltre seimila persone di ogni nazionalità bivaccavano nel campo. Dopo alcuni giorni, seppi che molti stazionavano da mesi, in attesa di un'occupazione. E così, dopo quattro giorni di permanenza, presi una decisione che oggi appare per lo meno avventata. Abbandonai il campo e cercai da solo una sistemazione».

Alla chetichella fece i bagagli e prese il treno diretto ad Adelaide. Non aveva una meta, non conosceva nessuno. Ma la sorte non offriva altre alternative. «La provvidenza divina non mi voltò le spalle. All'uscita dalla stazione m'imbattei in un italiano proveniente dalla Calabria, che mi consigliò dove trovare una pensione e poi mi diede indicazioni per un posto di lavoro. E così, grazie a quell'incontro fortunato, riuscii a sistemarmi». Dopo circa un anno fece venire Pia, la moglie sposata per procura, e iniziò la sua vita familiare. Dall'unione sono nati Tina e Pinuccio.

Dopo averci raccontato la sua storia, Mario ci informa sull'ingresso nel mondo sindacale e in quello politico. «Né il sindacato né la politica li ho scoperti in Australia – dichiara. – Avevo sedici anni, quando incominciai il mio apprendistato. E subito diventai un attivista del sindacato metallurgici nella fabbrica dove lavoravo. Quanto alla politica, devo dire che già in Italia ero membro del Partito socialista».

Poco dopo il suo arrivo si iscrisse al Partito laburista, iniziando un nuovo apprendistato. Dopo appena tre anni di residenza era già un veterano nell'organizzazione di convegni e campagne elettorali per parecchi membri della camera. «Durante queste attività sorse in me il desiderio di entrare personalmente in politica. Compiuto il tirocinio necessario, la mia richiesta fu accolta. Si trattò semplicemente di aspettare il momento propizio, che giunse il 22 giugno 1982. Da allora sono stato rieletto al senato altre due volte».

Così, con semplicità e modestia, il nostro senatore ci ha raccontato la sua storia di emigrazione e il suo successo politico. Però ha fatto molto di più di quanto dice. Il suo intervento, per esempio, ha reso molto più facile un importante avvenimento: il gemellaggio fra la regione Campania e lo stato del Sud Australia. Il primo accordo del genere, siglato a Napoli nel 1990, dal presidente della giunta regionale Ferdinando Clemente e dal premier del Sud Australia, onorevole John Bannon. Questo è soltanto un esempio, poiché l'attività di un vero politico si misura sulla sua storia, ma si misura ancor più sulla sua capacità di confrontarsi con il futuro. Mario Feleppa in questi anni lo ha fatto e lo fa costantemente con una dichiarata volontà di lavorare per il bene di tutti i cittadini australiani, ma senza dimenticare le sue origini e quanti per esse sente fratelli.

L'ITALIANITÀ IN ARGENTINA
SI RESPIRA NELL'ARIA

Sono nata il 17 aprile 1954 a Saonara, in provincia di Padova; ma il 23 dicembre dell'anno successivo sbarcavo, in braccio a mia madre, nel porto di Buenos Aires. Vissi in Italia meno di due anni. Che ricordi possono restarmi, se non quelli del cuore? Ma fortunatamente sono i più importanti e i più duraturi. «Cinque anni e poi basta», aveva promesso mio padre, che si chiamava Carlo Rado, a mia madre. Intendeva dire che la nostra permanenza in Argentina, in qualità di emigrati, si sarebbe limitata a quel periodo. Va' a credere alle promesse. Ma si sa come vanno le cose per i padri emigrati. Si comincia a mettere in piedi una qualche attività; i figli crescono e ignorano le promesse; ci si ambienta nel nuovo paese... E così, a poco a poco, si sbiadisce il desiderio del ritorno. Ma senza svanire mai.

Mio padre prima aprì un ristorante, al quale dopo un po' di tempo aggiunse un pastificio. Poi chiuse il ristorante, ma conservò il pastificio. È morto nel 1978, in quel quartiere di Cordoba dove il sessanta per cento degli abitanti sono italiani.

Ho frequentato la scuola argentina e ho studiato filosofia all'università. Il mio nome è Laura, Laura Rado; e ho una sorella che si chiama Luisa e abita a

Padova dal 1987. Sono sempre stata divisa fra il dovere di aiutare i miei genitori nella gestione delle loro aziende e la mia vera aspirazione: quella di fare l'insegnante. E così, nel 1967, ho aperto un asilo. Mia sorella, invece, era laureata in lettere moderne; ma aveva anche uno spirito pedagogico. E così creò, con alcuni amici, un gruppo di studio e di ricerca.

La morte di mio padre rese più difficile la mia presenza nell'azienda e nell'asilo. E così chiusi quest'ultimo. Ma la perdita fu per me abbastanza grave. Allora mia sorella e i suoi amici mi invitarono a lavorare con loro. Ero meno impegnata e allo stesso tempo avevo modo di rimanere nel mondo che amavo. Ne nacque nel 1984 una scuola, che chiamammo: «Escuela nueva Juan Mantovani», un pedagogo argentino molto noto, che operò attivamente per l'educazione dell'infanzia.

Cominciammo con quattordici bambini. Oggi, dopo dieci anni, sono diventati 1200, con 250 insegnanti. Abbiamo la scuola materna, le elementari, la media inferiore e la media superiore, limitatamente al conseguimento del diploma di educazione fisica. Quest'ultima dura quattro anni e consente ai diplomati di operare nel mondo dell'handicap e in quello dell'infanzia; oppure come insegnanti di educazione fisica nelle scuole.

L'abbiamo chiamata «Escuela nueva», perché è veramente tale: una scuola moderna, diretta da un gruppo di appassionati, che si rinnova continuamente. I suoi alunni non giungono soltanto dall'area urbana: giungono anche dai paesi del circondario, attirati evidentemente dal buon nome della scuola.

Non posso dimenticare a questo punto l'aiuto che mi diede mio padre. Nonostante fosse impegnato con le sue aziende, mi aiutò moltissimo per mettere in piedi e mandare avanti il mio asilo. Non soltanto economicamente, ma anche praticamente. A lui piacevano molto i bambini, e perciò veniva spesso a trovarmi per stare un po' insieme a loro, e magari intrattenerli scherzosamente. Anche mio marito, Adelardo Butto, pediatra e per parecchi anni direttore delle scuole materne comunali, mi aiutò con i suoi consigli e con la sua esperienza.

Lavorare nel campo educativo e formativo fu una vera e propria vocazione per me e per mia sorella Luisa. Io puntavo principalmente sulla pratica; lei sulla teoria. Il suo gruppo pubblicava un periodico, intitolato «Educar», al quale collaboravano docenti e studiosi della città di Cordoba, ma anche di altre città.

La collaborazione fra noi due sorelle si svolse quindi in un duplice ambito: quello dell'attività commerciale della famiglia e quello dell'attività culturale della «Escuela nueva». Nel primo, fin dal tempo in cui eravamo ragazze entrambe; nel secondo, dal 1983 al 1987. Alla fine del 1987 mia sorella decise di ritornare in Italia. Io, invece, rimango sempre sulla breccia in entrambi i fronti.

Tuttavia la partenza di Luisa non è stata una fuga. Mantiene sempre il suo ruolo direttivo nella scuola, per la quale opera anche staccata, poiché favorisce i contatti e crea relazioni, con cui io mi posso confrontare quando vengo in Italia. Comunque non esiste fra Italia e Argentina la differenza ideale e culturale, che induce a supporre la distanza geografica. In Argentina i cittadini di origine italiana costituiscono la maggioranza o quasi della popolazione; e l'Italia, perciò, la sua cultura, la sua storia e la sua realtà ci sono molto vicine, familiari. Nella «Escuela nueva», per esempio, buona parte dei docenti hanno origini italiane e all'Italia conservano un chiaro attaccamento.

Nello scorso dicembre io ho ottenuto un riconoscimento da parte della Camera di commercio, industria e artigianato di Padova, quale «padovana che ha onorato l'Italia nel mondo». Tale era la motivazione. La cosa mi ha dato grande soddisfazione. Ma non tanto a livello personale, quanto invece a livello familiare. Si tratta infatti di un riconoscimento che premia innanzitutto i miei genitori, dai quali abbiamo ricevuto aiuto e incoraggiamento a operare attivamente nella società in cui viviamo; come premia mia sorella Luisa, protagonista nell'opera educativa, e premia anche la mia famiglia: mio marito e i miei due figli, Gabriel e Mariano, che subiscono con affettuosa pazienza una moglie e una madre fin troppo impegnate.

I miei figli seguono molto la mia attività scolastica. Purtroppo, capiscono ma non parlano italiano. Parlano meglio il dialetto, perché mia madre lo usa normalmente; e quando vengono in Italia, si divertono ad andare nei negozi per parlarlo. Con il passare degli anni ritengo, però, che sentiranno sempre più vivo il desiderio di conoscere la lingua delle loro origini, e insieme la sua cultura. Ne ho visto molti, anche perché le «radici» sono sentite in maniera forte nelle famiglie italiane e tramandate puntualmente attraverso le generazioni. Presso le nostre comunità all'estero si conservano molte tradizioni, che in patria sono state accantonate. In primo luogo la predilezione per il dialetto, che più di qualsiasi altra cosa ci lega alla nostra città, al nostro paese di origine.

Quando sono in Italia, mi sento rimproverare frequentemente dai miei parenti: «Ma come, – dicono – usi parole che ormai qua da molti anni nessuno usa più». Oppure: «Perché parli ancora il dialetto veneto, che appartiene a una cultura ormai arcaica?». Per noi non è così. Anzi, più antico è il sapore dell'usanza o della parola, più ci lega alla cultura dei nostri padri, anche se ci riporta indietro di quattro o cinque generazioni. Per noi si tratta di un recupero culturale, non di un uso anacronistico.

L'italianità in Argentina si respira nell'aria. È naturale, quindi, che si respiri nella nostra scuola fondata e gestita per buona parte da italiani. Però il nostro metodo pedagogico punta a educare nella libertà. Personalmente lo applico anche con i miei figli. Io non ho mai rinunciato alla cittadinanza italiana. I miei figli sono cittadini argentini, però sanno che in qualsiasi momento possono diventare anche o solo cittadini italiani. Ma sta a loro decidere. Quando arriveranno all'età di diciott'anni, faranno la loro scelta in piena libertà. Senza alcuna mia influenza.

Questo principio vige anche nella nostra scuola e informa tutto il nostro insegnamento. Nel caso di quanti vivono in emigrazione assume poi un significato e un'importanza particolari. Le prime generazioni, infatti, vivono nella memoria delle loro origini; le nuove generazioni vivono la cultura del mondo in cui sono nati. Non è possibile, o per lo meno solo fino a un certo punto, che le prime impongano alle seconde un amore che queste non sentono. Possono solo educare a questo amore, che alla fine sarà una conquista e una scelta personali.

Mia madre, per fare ancora un esempio, ha sessantasette anni; ma continua a cantare in un coro costituito da veneti e discendenti di veneti. I miei figli sono attratti da questa attività e desiderosi di imparare queste canzoni. In loro, insomma, si trasmettono l'interesse e l'amore di mia madre. Senza alcuna particolare stimolazione.

Ho visto laureati quest'anno i primi ragazzi che iniziarono la loro formazione nella mia scuola materna. È stata una soddisfazione profonda, perché mi pare che abbiano accolto quello spirito di «educare alla libertà» che, come ho già detto, ha ispirato tutta la mia azione pedagogica. Non l'abbiamo inventato io e mia sorella. È un concetto antico nella scienza pedagogica, che applicò un maestro quasi mitico dell'antica Grecia: il filosofo Socrate. Però noi lo abbiamo visto realizzato nella vita di nostro padre, che cercò nuove frontiere alla sua esperienza e alle sue attività, puntando sempre al meglio e rifiutando le costrizioni dell'ambiente e delle persone. Ci ha offerto una lezione preziosa, della quale ho cercato di fare l'uso migliore e più appropriato.

DALLE COLLINE DEL CANAVESE ALLE MINIERE DELL'ILLINOIS

Questa è una storia di emigrazione del primo Novecento. Anzi è la storia di una vita consumata nel lavoro, prima che l'Italia diventasse una potenza economica ed esplodesse la stagione del benessere. Ce l'ha raccontata il figlio del protagonista, che l'ha conservata nella memoria con la fedeltà dell'amore, come ha conservato i documenti per non dimenticare. La riferiamo tale e quale lasciando inalterata il più possibile la sua drammatica verità di documento.

Domenico Taraglio nacque nel 1870 a San Benigno Canavese, un piccolo centro agricolo a una ventina di chilometri da Torino, nella verde campagna canavesana. Frequentò per tre anni la scuola elementare, ma poi dovette smettere. In famiglia, più che di sapienza, c'era bisogno di denaro per poter tirare avanti. E così, a otto anni, si trovò a fare il garzone di un contadino. Che cosa significava nell'anno 1878, anche nella regione Piemonte che era stata promotrice dell'unità d'Italia? Significava lavorare tutto il giorno senza sosta; vivere tutto l'anno fuori di casa; dormire d'inverno in un angolo della stalla e d'estate nel fienile. E soprattutto: denaro zero. Una bella prospettiva di vita per un bambino di otto anni. Già a quell'età provò la solitudine, la fatica, l'abbandono.

A quattordici anni ebbe un altro padrone. Era più grandicello, e ormai allenato; ma le condizioni erano sempre le medesime: niente salario, escluso un piccolo compenso *una tantum* che veniva ritirato dal padre, poco cibo, disagi a non finire. Una infanzia dura, ma sopportata senza traumi e senza proteste. A diciotto anni decise di emigrare e partì da solo alla volta della Germania. Ci rimase due anni, senza conoscere la lingua e chiuso nel silenzio. «Tanto lavoro e poche parole» diceva laconicamente, quando raccontava quel periodo. Fece il garzone muratore e i soldi, questa volta ne guadagnava un po', li mandava tutti alla famiglia.

Le sue aspirazioni, i suoi sogni di ragazzo, non è dato di sapere. Non li raccontò mai a nessuno. Forse per pudore, forse perché la vita glieli aveva spenti fin dai primi anni. A questo punto la vita di Domenico Taraglio diventa simbolo: non solo il simbolo storico di un tempo, in cui la povertà creava abissi di dolore; ma anche il simbolo esistenziale di quanti, ancora oggi, sono costretti in tanti paesi del mondo a lottare per la sopravvivenza.

A vent'anni ritornò in Italia, per fare il servizio militare. Quattro anni in cavalleria, tra Piemonte e Lombardia. Rappresentarono un periodo di serenità: forse il periodo più bello della sua vita. Aveva un pasto caldo assicurato, un posto in cui dormire al riparo dal freddo e dalle intemperie, qualche amico con cui parlare e trascorrere il tempo in compagnia. Quando fu congedato, ricominciò l'incubo del domani. In Piemonte e in Italia nulla era cambiato. Anzi, i nodi della miseria si erano fatti ancora più stretti e il paese si avvicinava al suo periodo nero quando, nel maggio del 1898, i soldati del generale Bava Beccaris avrebbero sparato sul popolo milanese che protestava per le tasse e per la miseria.

Il futuro di Domenico era segnato: emigrare di nuovo. Ma questa volta il progetto ebbe dimensioni diverse. Aveva sentito parlare dell'America, della terra offerta gratis, dei fiumi d'oro, delle città ricche e bisognose di braccia forti, e ne era rimasto affascinato, anche se l'immensità dell'oceano lo spaventò un poco. Lo spaventò? Forse lo raccontò più tardi, quando era diventato vecchio e magari indulgeva a colorire il racconto. Ma non è credibile che un uomo di forte tempra, emigrato dalla sua casa a otto anni di età, potesse ricordare ancora lo spavento: quello che provò, sicuramente, la prima volta che si trovò solo.

Partì da Genova nel 1894. E poiché non poteva pagare il biglietto, che costava 150 lire, si occupò del bestiame che viaggiava nelle stive e così ebbe la traversata gratis. Il viaggio, a quel tempo, durava quasi due mesi. Un periodo che a Domenico parve interminabile. Ma per lui e per i suoi compagni non finì così. L'approdo vero e proprio alla terra americana fu rinviato ulteriormente, a causa della quarantena che il nostro eroe dovette scontare a Ellis Island. Si tratta di una piccola isola, situata nella baia di New York, dove gli emigrati venivano trattenuti fino a quando non fossero stati sottoposti alle varie visite mediche e non avessero ottenuto i documenti necessari per la permanenza in terra americana.

Non tutti passavano. Molti venivano respinti, per malattia oppure per motivi politici; e moltissimi attesero a lungo il compimento delle pratiche, che spesso venivano svolte con una esasperata pignoleria. Per questo Ellis Island ebbe anche il nome quasi sinistro di «Isola delle lacrime». Domenico passò senza com-

plicazioni. E poiché durante il viaggio aveva conosciuto un corregionale, decise di fare società con lui e di
operare insieme nel settore agricolo.

Il governo americano, a quel tempo, concedeva
grandi appezzamenti di terreno da coltivare. Chiedeva
in cambio metà del raccolto annuale. Dopo tre anni
gli agricoltori diventavano proprietari del terreno
coltivato. Purtroppo la siccità e l'invasione delle caval-
lette distrussero il raccolto del primo anno. Domenico
voleva riprovare ma il suo socio, fortemente deluso,
non fu d'accordo. E poiché l'appezzamento era affidato alla «società», la rinuncia di un socio comportava anche la rinuncia dell'altro.

Il nostro intrepido migrante non si dà per vinto.
Anzi dà prova della sua tenacia e del suo coraggio. Va
a lavorare in miniera, dove c'è rischio maggiore ma
anche paga più alta. Finisce nelle miniere di carbone a
Calumet, nello stato del Michigan. Il salario era di un
dollaro al giorno per chi lavorava all'esterno, di cinque dollari per i cottimisti impegnati nell'estrazione.
Naturalmente scelse questa seconda attività. Lavorò a
Calumet per cinque anni, senza soste. E mandò a casa
puntualmente tutti i soldi guadagnati, detraendo per
sé solo una minima parte.

Nel 1901 decise di tornare in patria, anche perché
aveva in animo di formarsi una sua famiglia. Sposò infatti Teresa e nei primi due anni di matrimonio nacquero due figli. Ma la situazione economica delle
campagne non era certo migliorata rispetto al decen-
nio precedente. E quindi la povertà indusse Domenico a emigrare per la terza volta. Fu costretto a lasciare
la sua famiglia e si imbarcò ancora per gli Stati Uniti.
Questa volta scelse Chicago, sul lago Michigan. Aveva
saputo che c'era richiesta di gente nelle miniere del-
l'Illinois e, nonostante il rischio, voleva sempre gua-

dagnare di più. Aveva la famiglia da mantenere; ma soprattutto sperava di poterla far venire in America. Purtroppo, nonostante il suo lavoro e le sue economie, il sogno non si avverò mai.

Nel 1905, nella miniera in cui lavorava avvenne una gravissima sciagura. Il grisou causò uno scoppio terrificante e tutti i minatori vi trovarono la morte. Dieci di loro tentarono di risalire con l'ultimo montacarichi avvolto dalle fiamme. Due soltanto si salvarono, e uno era Domenico Taraglio. Ma rimase in coma per lungo tempo e ne uscì con gli arti bruciati e totalmente privo delle orecchie.

La compagnia di assicurazione gli promise un indennizzo di quindicimila lire, che poi risultò essere un imbroglio. Alla fine Domenico dovette accontentarsi di cinquemila lire, che comunque per lui e per i tempi rappresentavano una cifra di notevole rilevanza. Ha solo trentacinque anni, ma è provato nel corpo e nell'animo. Fino a questo punto, salvo gli anni del servizio militare e quelli della prima infanzia, non ha conosciuto tregua. La sua vita è stata una battaglia, che non gli ha evitato nemmeno il pericolo di morte. Anzi, ci è sfuggito miracolosamente.

Torna a casa, vuole stare con i suoi, nella sua terra. Vuole tornare a lavorare alla luce del sole. Con i soldi messi da parte riuscì a comperare una casetta e un piccolo terreno, dal quale sperava di trarre il necessario senza dover pensare altri diversivi. La cosa non gli riuscì molto facile, tanto più che la famiglia crebbe per la nascita di altri due figli. Ma non si diede mai per vinto, dimostrando quali fossero la sua tempra e la forza del suo animo. Ogni tanto ripensava alla sua America e conservava il rammarico di non aver potuto diventare «caposquadra», perché non sapeva leggere e scrivere.

Continuò a lavorare sempre e a settantacinque anni suonati si ammalò gravemente di pleurite. Guarito con qualche difficoltà, riprese subito il suo lavoro. Purtroppo era rischioso, quasi come in miniera, passare dai venti gradi della stalla ai dieci sotto zero del cortile in un inverno terribilmente umido. Questa volta non la scampò. Si prese una polmonite, che in breve tempo lo condusse alla sepoltura.

RITORNARE A NATALE
NELLA TERRA DEL PADRE

Mio padre si chiama Virgilio Panozzo. Emigrò nel 1956 in Australia, dove io nacqui. Emigrò per amore, e ama raccontare la storia della sua emigrazione proprio perché è anche una storia d'amore. Ma risale più in là nel tempo, quando lui e mia madre erano studenti. Riferisco qualche brano del suo racconto, poiché serve a spiegare il mio ritorno nella sua terra.

«Se tu sapessi, Dominic, – mi diceva – quanto era ansiosa tua madre agli esami magistrali. Mi guardava supplicando aiuto: la fisica le riusciva veramente ostica. Ci siamo visti poche volte nella sua casa di Arsiero prima che lei partisse per l'Australia. Suo fratello, emigrato qualche anno prima, aveva garantito alle tre sorelle un lavoro ben remunerato. Ma poi si vide che era un lavoro duro: bisognava alzarsi alle cinque del mattino e ritornare a casa alle sei di sera. Tua madre e le tue zie hanno lavorato e sofferto molto».

Anche mio padre soffriva al suo paese: Treschè Conca sull'Altopiano di Asiago. La solitudine era diventata quasi angosciosa, anche dalle lettere della mamma trasparivano affetto e nostalgia. Aveva notato che l'arrivo del postino coincideva con l'apparizione, su una finestra della scuola ove insegnava, di una farfalla dai colori mattutini dell'Ayers Rock. Il punto da risolvere era se la visita fosse un altro messaggio, trasmesso attraverso le vie segrete dell'amore.

«L'Australia era troppo remota per le fragili ali di una farfalla – continuava il racconto. – Ma per me, ormai convinto che solo accanto a tua madre sarei stato felice, la farfalla sembrava un invito a decidere. E a chiederle, finalmente, se mi accettava come compagno della sua vita».

In attesa della risposta si entusiasmava a fare lezioni di geografia. In particolare sull'Australia, della quale descriveva le coste e le montagne, le città e i deserti, le popolazioni antiche e quelle recenti. L'Australia gli era entrata nel sangue, perché c'era mia madre. Per raggiungerla, avrebbe attraversato gli oceani su una fragile navicella.

Mia madre rispose con una lettera piena di sollecitazione. Voleva che si precipitasse in Australia, ma attenzione: non sarebbero mancati sacrifici e difficoltà. «Pensaci – concludeva. – Tu hai uno stipendio, una carriera... Solo i poveri emigrano, o gli ambiziosi che vogliono fare fortuna in fretta. Non ho mai sentito che qualcuno sia emigrato per amore».

Mio padre partì dopo Natale e sbarcò a Melbourne dopo quasi un mese di viaggio. Ancora un giorno di treno e giunse finalmente ad Adelaide. Alla stazione c'era mia madre e i suoi familiari ad attenderlo. Piansero tutti insieme di commozione e di gioia. Appena arrivato, ricevette però anche una brutta notizia: era morto suo padre. «Fu un dolore immenso – mi disse. – Mi fece sentire ancora più forte lo strazio della lontananza».

E di qui, probabilmente, prese avvio quel senso quasi mitico del «ritorno», che un po' alla volta trasmise anche a me. Prima che partissi, mi chiamò nel suo studio e mi disse con la voce rotta dalla commozione: «Adesso che vai nel nostro Altopiano, a conclusione dei tuoi studi universitari, rècati a visitare la tomba dei tuoi nonni. Parla con loro, come ho fatto io molte volte, e recita una preghiera. Non importa, se in inglese. Loro capiscono il linguaggio dell'amore e parleranno al tuo cuore, senza che tu te ne accorga».

Queste parole sono state come un viatico durante il mio viaggio in Italia. E quando attraversai il confine proveniente da Londra, fui preso da una emozione profonda e mi chiesi se quella era la prima volta oppure se era un ritorno.

Finalmente giunsi a Vicenza, dopo un lungo viaggio in treno da Parigi, dove mi ero fermato per un paio di giorni con amici, proveniente da Londra. Sono emozionato: il paese di mio padre l'ho sempre immaginato piccolo, aggrappato a un monte come un nido all'abete gigante e dentro, adagiate su un velo bianco, la chiesa, la trattoria di mia zia Maria, le case di tutti i miei zii. Delle altre case e famiglie non sapevo molto e quindi non potevo sbrigliare la fantasia in immagini curiose. Ma guardando verso i monti, come mi aveva suggerito mio padre, non vedevo i dorsali tinti di pastelli magici: la nebbia aveva cancellato l'orizzonte. E nessuna traccia di neve. Pensavo che mio padre avesse esagerato con la neve e i panorami artistici. Ma a Vicenza i palazzi del grande Palladio mi abbagliarono. Ero fiero delle mie radici vicentine. Tutti convenivano che la città era veramente un gioiello d'arte. E Corso Palladio, non era un po' come la nostra Rundle Mall?

Come raggiungere l'Altopiano... questo era il problema. «Con la coriera, caro giovinoto, e tremila lire de bilieto, gnanca un franco de meno» disse un vecchietto con aria saccente. Risi allegramente per il dialetto che io capivo, mentre per i tre amici era cinese.

«Se non ci porti sulla neve, Dom, ti prenderemo in giro per un anno» minacciavano.

«Calmi, calmi. Mio padre ha detto che la neve ci sarà e vedrete che la troveremo».

In pullman tutti dormivano, ma non io. Ero sveglio come un'aquila che mira alla preda. Volevo essere il primo a scoprire i monti, la neve, le case, le strade che scendevano a valle portando nei paesini abbarbicati sui costoni rocciosi. Forse uno era quello di mio padre. Ma salimmo ancora. Verso la Barricata, quasi in cima al serpentone del Costo, ecco lo spettacolo atteso: non solo c'era la neve che copriva i monti e piegava i rami degli abeti, ma il cielo sfarinava piume soffici come quelle di un cigno.

«Lou, John, Ceri, la neve» gridai. Con un balzo fummo tutti in piedi. Volevano che chiedessi all'autista di fermarsi. Impossibile, dissi, l'Altopiano sarebbe apparso subito. L'autista capì e fermò il pullman: «Per mezzo minuto, non di più» raccomandò con un sorriso cordiale.

I miei amici tiravano palle di neve e si divertivano come ragazzi. Io invece, pensavo a mio padre, che avrei voluto al mio fianco. Nel suo paese mi avrebbe reso gli incontri più facili e avrebbe parlato per me. Non ero sicuro che i parenti mi avrebbero capito. Dalla valle di Campiello uscimmo su un pianoro e davanti a un albergo il pullman si fermò: «Treschè Conca». L'avvertimento dell'autista era per noi: dovevamo scendere.

Era pomeriggio, ma quel cielo da Golgota non ci lasciava vedere lontano. Notai un uomo con una bisaccia di fieno sulle spalle e un bambino biondo con una borsa. Scelsi il bambino per chiedere la strada di mio zio: lui non avrebbe riso, se mi fossi spiegato male. Avendo pochi anni, credevo che non conoscesse bene la lingua: eravamo quindi, più o meno, sullo stesso piano linguistico. Invece il biondino, non solo mi capì, ma disse: «Me par de conosserte: ti te xe un Ostarello».

Il soprannome della famiglia è necessario sull'Altopiano per distinguere gruppi familiari dallo stesso cognome. «Sì, xe vero, – dissi ridendo. – Ma come hai fatto a sapere che sono un Ostarello?».

«Ti te ghe tiri drio a Carlo Ostarello, che abita poco distante da qua».

«Bravo, bocia. Ciao».

Risi a crepapelle per quella conversazione allegra e presi coraggio, pensando che non ero proprio uno sconosciuto, se anche il bambino mi aveva individuato. Sentii una voglia matta di correre verso la casa in cui era nato ed era vissuto mio padre. Avrei finalmente messo piede nella sua cucina, nella sua camera. Avrei camminato per i campi, sarei andato nella chiesa che egli aveva frequentato e nella notte di Natale avrei cantato gli inni che lui mi aveva insegnato. I miei amici, vedendomi correre, gridarono: «Dom, Dom, wait for us».

Volai alla casa dello zio Carlo e, senza esitazioni, entrai. Lo zio, seduto al tavolo della stanza calda, scattò in piedi e, senza avermi mai visto prima, disse: «Domenico, Domenico, sei proprio come tuo padre». Piangemmo e restammo abbracciati a lungo.

Lou, John e Ceri mi avevano perduto di vista e chiamavano dalla strada. Li avevo dimenticati. Fu mio zio a farli entrare e a rifocillarli. Parlammo a lungo anche con mia zia e le cugine. Poi facemmo il giro dei parenti e fummo alloggiati all'albergo di zia Maria: gustammo letti e pranzi da nababbi. Nei giorni seguenti sciammo a lungo e salimmo su molte vette. Andai perfino al cimitero con gli sci. Le fotografie dei miei nonni, illuminate dal sole, parevano persino allegre. Visitammo Asiago e tutto l'Altopiano. Quella Conca bianca e splendente sembrava la copia del paese delle meraviglie.

Con i parenti e gli amici trascorremmo serate allegre e qualche volta anche abbastanza calde a causa della grappa e dei punch. Un giorno di sole, mentre osservavo le distese candide, mi chiesi perché mio padre avesse deciso di partire da questo paradiso trent'anni prima. Mi portai questo pensiero in chiesa, alla messa natalizia di mezzanotte.

«So – dissi rivolgendomi al cielo – che per lui mia madre era il centro dell'universo e che senza di lei non sarebbe mai stato felice. Ma abbandonare questo paese per amore, credo che richieda una forza d'animo eccezionale».

«È così Domenico, proprio così – sentii una voce nel mio cuore. – Per amore si può emigrare. Ma non hai mai pensato che, per amore, si può anche ritornare? Non l'hai fatto anche tu, con la speranza di trovare le tue origini?».

Il campanello dell'elevazione ci invitava a piegare il capo, a genufletterci. Dissi tra me: «Papà, torna anche tu, con la mamma. La voce misteriosa ha ragione: per amore si può emigrare, ma per amore si può anche ritornare».

In giugno mio padre e mia madre sono ritornati sull'Altopiano: vi resteranno fino a gennaio, fin dopo Natale. La fede e l'amore hanno sempre riempito la loro anima. Non potevano non ritornare. Sull'Altopiano sono più vicini al cielo.

CIMITERO PIEMONTESE
NELL'OCEANO INDIANO

L'emigrazione piemontese nel mondo è stata oggetto di studi e di analisi. Sovente è stata celebrata attraverso alcuni dei suoi protagonisti di spicco, altre volte è stata rievocata per le alterne fortune che incontrò nei vari paesi. Mai però si è parlato del destino cui furono soggetti quanti, piemontesi o di altre regioni, accomunati da una medesima sorte morirono in terra straniera. I cimiteri di tutti, naturalmente, poiché la morte dovrebbe cancellare i segni residui delle differenze.

Riteniamo tuttavia che ci siano casi particolari, che dovrebbero richiamare la nostra attenzione anche su questo aspetto della vita in emigrazione. Tale riteniamo essere il «cimitero dei piemontesi», che si trova nell'isola di Réunion, sperduta nell'Oceano Indiano: a settecento chilometri dal Madagascar, a diecimila chilometri dall'Italia. Si tratta di un'isola stupenda, con una vegetazione lussureggiante, mare di smeraldo e spiagge dalla sabbia d'oro, dove oggi i turisti trovano un paradiso di cui possono godere i benefici in tutte le stagioni dell'anno.

Scoperta ufficialmente dai portoghesi nel XVI secolo, ma probabilmente fu «esplorata» otto secoli prima dagli arabi. La Francia se ne impossessò gradualmente, finché nel 1671 affermò solennemente la sua sovranità con Jacob de la Haye, viceré delle Indie. Assunse varie denominazioni: Isola del Paradiso, Santa Apollonia, Isola Bourbon e poi Isola Bonaparte e infine Isola della Riunione o Réunion, come è chiamata tuttora.

La sua popolazione ha origini diverse: europei di varie nazionalità, malgasci, africani, indiani, cinesi, pachistani. Attualmente assomma a seicentomila persone. È curioso segnalare che intorno agli anni 1733 e 1734, quando fu fatto un censimento dai francesi, risultava abitante nel quartiere di San Paolo un emigrato piemontese. Il suo nome era Cesare Antonio Bonardo, originario di Roburent, in provincia di Cuneo. Era sposato con tale Francesca Boucher, dalla quale ebbe quattro figli. Ma era il solo piemontese?

Il grosso, comunque, giunse negli anni 1877 e 1878: circa duecento persone, già emigrate in Francia dal Piemonte. Dovevano lavorare alla costruzione di una ferrovia, destinata a collegare i due centri più importanti dell'isola: Saint-Pierre e Saint-Benoît, passando per Saint-Denis. Si trattava di esperti, poiché avevano già lavorato agli scavi della galleria del Moncenisio, che collegò l'Italia con la Francia.

I lavori a Réunion cominciarono nel 1878 e procedettero con notevole celerità. Solo quattro anni dopo, infatti, nonostante le numerose difficoltà incontrate erano quasi ultimati anche i lavori per la costruzione di una galleria di oltre dieci chilometri. Nel giugno del 1882 la linea era ultimata a tempo di record. Il lavoro italiano nel mondo iniziava proprio in quegli anni la sua affermazione clamorosa.

Le cronache dell'epoca parlano di «un'opera storica», per la rapidità con cui era stata realizzata, ma ancor più per le difficoltà ambientali che aveva incontrato e per le condizioni in cui avevano dovuto lavorare gli operai. Furono vittime infatti di febbri tropicali, di incidenti di ogni sorta e di un crollo avvenuto durante gli scavi della galleria. Gli incidenti furono assai frequenti, con numerose morti, sulle quali il giornale locale forniva ampia informazione. Alla fine dei lavori buona parte dei lavoratori, immigrati da vari paesi europei, ritornarono alle loro case. Ma molti rimasero e si stabilirono definitivamente nell'isola, creandosi una famiglia e assumendo i costumi locali.

Per una sorte abbastanza oscura, le vittime piemontesi della ferrovia e i morti successivi ebbero sepoltura in uno spazio loro riservato: il «cimitero dei piemontesi». Ma il tempo cancellò un po' alla volta la sacralità del luogo e anche la memoria nei lontani eredi, forse ignari delle loro origini. E così il cimitero oggi è in uno stato di totale abbandono, invaso da sterpaglie ed erbe selvatiche. Viene conservato un po' per rispetto dei morti che ci sono sepolti, ma ancor più per la superstizione dalla quale è circondato.

Lo studioso locale Eric Boulogne, che sta realizzando uno studio sulla storia della ferrovia e sugli operai che la costruirono, afferma infatti che «il cimitero è diventato oggetto di cerimonie assai particolari, che sicuramente nulla hanno di sacro». Non è nemmeno recintato ed è campo di scorreria per ogni tipo di animale. Questa deplorevole situazione è stata documentata dall'associazione dei «Piemontesi nel mondo» di Nizza e resa di pubblico dominio da Michele Colombino, che è presidente centrale di tale associazione nonché vicepresidente della Consulta regionale dell'emigrazione.

Si auspica un interessamento da parte delle autorità consolari italiane, allo scopo di ripristinare la sacralità del luogo di sepoltura, che per di più oggi è minacciato di sfratto dalla società Electricité de France. Una fine ignobile, che cancellerà completamente le tracce di un altro doloroso episodio della nostra emigrazione. Dovremmo quindi, per non dimenticare, cercare la memoria dei piemontesi nell'isola sulle vecchie annate del giornale locale, «Le Moniteur», che registrò puntualmente le vicende della ferrovia e nominò quindi molto i piemontesi, veri protagonisti dell'opera.

In data 27 ottobre 1880, per esempio, riferisce quanto segue: «Un terribile incidente, giovedì alle ore 10.30 circa, ha avuto luogo nel cantiere del tunnel e ha causato la morte di tre uomini, tra i quali due capi minatori italiani, che rispondono al nome di Domenico Gaiolo di circa trentacinque anni d'età, e Domenico Salvan di circa quarantacinque anni. Essi erano occupati ad armeggiare attorno alle cartucce di dinamite, necessarie per le esplosioni da effettuare nella galleria numero cinque tra la grande Scialuppa e la Ravine à Malheur, quando all'improvviso si udì una forte esplosione. I due minatori italiani e un creolo morirono all'istante. I loro corpi, spaventosamente mutilati, sono stati ritrovati a dieci metri dall'ingresso dove ha avuto luogo l'esplosione. I resti delle tre sfortunate vittime sono stati trasportati a La Possession, dove sono stati inumati. Uno dei due italiani periti avrebbe dovuto rientrare in Europa entro breve tempo. Per rivedere prima il proprio paese, aveva assunto il posto di un compagno, allo scopo di fare un turno che gli consentisse di anticipare la partenza. Questa disgrazia ha gettato nel dolore le famiglie dei lavoratori piemontesi».

È solo uno degli episodi che funestarono la comunità. Risulta infatti che le vittime piemontesi siano state oltre duecento, per quanto riguarda i lavori della ferrovia; cui però se ne debbono aggiungere varie altre, dovute a cause oscure o addirittura ignorate. Riporta sempre «Le Moniteur» alla data 29 aprile 1880: «A seguito di una partita a carte tra piemontesi, svoltasi il 26 del corrente mese verso le 4.15 del pomeriggio a Petite-Ile, tale Giovanni Gaito, responsabile di una galleria, si armò di un rasoio, con il quale ha cercato di colpire i suoi corregionali Vittorio Massa e Francesco Grosso. Non potendo colpirli, egli usò la pistola, che precedentemente aveva agganciato alla cintura, facendo fuoco ripetutamente. Il Massa ha avuto il cappello attraversato da una pallottola e il Grosso è stato ferito all'avambraccio destro. Il Gaito, dopo aver riposto il suo revolver, si è diretto verso la spiaggia dove è stato arrestato».

Qui si tratta di un episodio senza vittime; ma probabilmente altri ebbero esito diverso e qualche vittima rimase certamente sul campo, dove si incontravano e si scontravano uomini rotti a tutte le fatiche e non certo estranei alla violenza. I piemontesi lavorarono fianco a fianco con gli operai locali e con quelli di altri paesi, immigrati o residenti: circa ottomila persone, che costituivano una massa eterogenea non facilmente controllabile.

Oggi, a ricordo dell'opera, rimangono la galleria e i tre ponti in muratura, che all'epoca erano stati decantati come opere straordinarie e hanno resistito all'incuria e all'abbandono. Ma rimane anche quel piccolo cimitero, violentato dall'indifferenza e dalla profanazione.

INDICE

Il «*Messaggero di sant'Antonio*»,
edizione italiana per l'estero,
mantiene vivo il legame
con la terra di origine
e con la Basilica del Santo.

È la rivista che reca
notizie dell'Italia
e delle comunità italiane all'estero,
e ricorda a chi vive lontano
le comuni radici.

EMP – EDIZIONI MESSAGGERO PADOVA

«Senza frontiere»
Serie teologico-pastorale

La collana pubblica opere narrative, storiche e saggistiche testimoniando, al di sopra di confini geografici e culturali, una realtà umana emergente per il nuovo interesse che suscita e per i valori che rappresenta.

formato 14 × 21 – brossura plastificata con risvolti

MIGRAZIONI E ACCOGLIENZA
NELLA SACRA SCRITTURA
Giacomo Danesi - Salvatore Garofalo – *Pagine 304*

LITURGIA E MOBILITÀ UMANA
Autori Vari – *Pagine 112*

ORIZZONTI PASTORALI OGGI
Studi interdisciplinari sulla mobilità umana
Autori Vari – *Pagine 296*

MARIA ESULE, ITINERANTE,
PIA PELLEGRINA
Figura della Chiesa in cammino
Autori Vari – *Pagine 320*

L'EPOCA PATRISTICA
e la pastorale della mobilità umana
Autori Vari – *Pagine 208*

MIGRAZIONI E DIRITTO ECCLESIALE
La pastorale della mobilità umana
nel nuovo Codice di diritto canonico
Autori Vari – *Pagine 208*

Per ordinazioni: tel. 049/89.30.922 - 89.30.212
MESSAGGERO DISTRIBUZIONE S.r.l.

Finito di stampare nel mese di maggio 1994
Mediagraf – Noventa Padovana, Padova